A1

DÉBUTANT

Jackson Noutchié Njiké

CIVILISATION
PROGRESSIVE
DE LA FRANCOPHONIE

Avec 350 activités

CLE INTERNATIONAL

www.cle-international.com

Direction éditoriale : Michèle Grandmangin
Édition : Bernard Delcord
Couverture : Miz'enpage
Iconographie : Graffito
Illustrations : Eugène Collilieux

Avant-propos

Comment parler de la Francophonie de manière pratique et concrète ? C'est la question à laquelle répond l'ouvrage *Civilisation progressive de la Francophonie*. Ce livre présente aux étudiants en langue française un éventail de la diversité et de la richesse des faits de société, de culture et de civilisation dans les pays francophones. Quelles sont les danses les plus courantes en Francophonie ? Comment s'y déplace-t-on ? Qu'y mange-t-on ? Quelles religions y pratique-t-on ? Dans un style simple et pédagogique, cet ouvrage traduit la doctrine francophone qui est de promouvoir la diversité culturelle en réalités concrètes.

La *Civilisation progressive de la Francophonie* s'adresse à des adolescents et à des adultes ayant suivi une cinquantaine d'heures de français, ainsi qu'à tous les francophones, notamment les élèves du primaire, désireux de comprendre les pratiques quotidiennes dans ce grand ensemble qu'est la Francophonie. Il se présente en deux parties principales : après une présentation générale de la Francophonie (son origine, ses institutions et ses principaux animateurs), il développe dix-huit thèmes de société et de culture qu'on peut retrouver dans la vie de toutes les communautés linguistiques du monde.

Chaque thème renvoie à un ou plusieurs pays francophones, dans le but d'amener les apprenants à s'imprégner parallèlement d'éléments de la géographie et de l'histoire francophones. Des cartes, des photos et des encadrés apportent des éclairages supplémentaires aptes à éveiller la curiosité des jeunes apprenants et ainsi développer leur culture générale.

La *Civilisation progressive de la Francophonie* n'est pas un ouvrage officiel de la Francophonie institutionnelle. C'est pourquoi on y parle de pays comme l'Algérie ou la Syrie qui ne sont pas officiellement des pays membres des institutions de la Francophonie, mais qui par l'importance du français dans leur société ou par leur histoire, font bien partie du monde francophone.

La *Civilisation progressive de la Francophonie* offre à chaque étudiant la possibilité d'approfondir et d'enrichir ses connaissances. Sur les pages de droite, plus de 350 activités permettent de vérifier les informations données sur les pages de gauche. En fin d'ouvrage, un lexique permet de remettre dans leur contexte des termes et des notions abordés, de manière à faciliter leur compréhension par l'apprenant. Un livre séparé contient les corrigés des activités de la *Civilisation progressive de la Francophonie*.

Sommaire

CANADA

Ontario   Québec

Saint-Pierre-
et-Miquelon

ÉTATS-UNIS

Nouvelle-
Angleterre

Nouveau-
Brunswick

OCÉAN

Louisiane

ATLANTIQUE

HAÏTI

Saint-Barthélemy
Guadeloupe

MER
DES CARAÏBES

Martinique

Guyane
française

LAOS

VIETNAM

OCÉAN

CAMBODGE

Wallis-et-
Futuna

Îles
Marquises

OCÉAN

Îles de la
Société

Archipel des
Tuamotu

INDIEN

Vanuatu

Tahiti

AUSTRALIE

Nouvelle-
Calédonie

Îles
Gambier

POLYNÉSIE
FRANÇAISE

PACIFIQUE

Quels sont les pays francophones représentés sur ces photos?
Pour vérifier, reportez-vous aux pages 24, 26, 42, 44, 46, 50, 58, 66, 68, 72, 78, 86, 128.

La Francophonie, c'est quoi ?

L'HISTORIQUE DE LA FRANCOPHONIE

Le mot « francophonie » a été inventé en 1880 par un géographe français nommé Onésime Reclus. Ce mot voulait désigner l'ensemble des endroits du monde où on parle la langue française.

De 1880 jusque vers les années 1960, le mot « francophonie » est resté très peu utilisé. Il a réapparu quand plusieurs colonies africaines qui appartenaient à la France sont devenues indépendantes. Des présidents de ces nouveaux pays, voulant garder des rapports forts avec la France et d'autres pays où on parle le français, vont commencer à créer les premières institutions francophones.

Léopold Sédar Senghor est le premier président du Sénégal. Il est mort le 20 décembre 2001 à l'âge de 95 ans. Pour beaucoup, il est considéré comme l'un des fondateurs des premières institutions de la Francophonie.

182 MILLIONS DE FRANCOPHONES

Aujourd'hui, la Francophonie désigne à la fois l'ensemble des personnes qui parlent le français et l'ensemble des pays ou régions où on parle le français. Selon les institutions de la Francophonie, il y aurait environ 182 millions de personnes parfaitement francophones dans le monde. On parle le français dans le monde soit parce que c'est sa langue maternelle, soit parce que c'est la langue de l'ancien pays colonisateur, soit simplement parce que c'est une langue apprise pendant les études.

Parler le français peut procurer quelques avantages, car le français est l'une des deux langues (avec l'anglais) parlées sur les cinq continents. Il est également l'une des deux langues officielles de la plupart des institutions internationales importantes (Organisation des Nations Unies, Comité international olympique, Cour internationale de Justice, etc.). Jusqu'aujourd'hui, le français est considéré comme la langue officielle des Jeux olympiques et la langue diplomatique de l'État du Vatican.

Saviez-vous que les populations de tous les pays francophones représentent plus de 500 millions de personnes ? Mais dans ces pays, tout le monde ne parle pas le français. Certains ne s'expriment qu'en langue vernaculaire. C'est pourquoi on dit qu'il y a environ 182 millions de francophones réels.

1 En quelle année et par qui a été inventé le mot « francophonie » ?

_____

2 Choisissez, parmi ces pays, son pays d'origine : la France, le Canada, les États-Unis, l'Inde, la Belgique, le Vietnam.

_____

3 Choisissez, parmi ces professions, sa profession d'origine : architecte, ingénieur, médecin, géographe, historien.

_____

4 Pourquoi le terme « francophonie » recommence-t-il à être utilisé à partir de 1960 ?

_____

5 Que désigne aujourd'hui le terme « francophonie » ?

_____

_____

6 Combien y a-t-il de francophones réels dans le monde ?

_____

7 Donnez trois raisons pour lesquelles on parle le français dans le monde.

_____

_____

8 Citez un avantage qu'on peut avoir à parler le français :

_____

_____

L'évolution de la Francophonie

LES PREMIÈRES INSTITUTIONS FRANCOPHONES

La Francophonie s'est beaucoup développée au fil des années. Ses premières institutions sont :

– La Conférence des ministres de l'Éducation (Confémen) et la Conférence des ministres de la Jeunesse et des Sports (Conféjes) des pays francophones. Elles ont été créées en 1960, avec pour but d'aider les pays qui venaient d'être indépendants à mieux organiser l'éducation de leurs jeunes élèves.

– L'Association des universités partiellement ou entièrement de langue française (Aupelf), créée en 1961. En 1987, on lui a ajouté l'Université des réseaux d'expression française (Uref). On parlait alors d'Aupelf-Uref. Elles ont été remplacées en 1997 par l'Agence universitaire de la Francophonie (AUF)

– L'Agence de coopération culturelle et technique (ACCT), créée en 1970. Il s'agit d'un organisme technique agissant principalement dans les domaines de la culture et de l'éducation. Elle a été remplacée en 1997 par l'Agence intergouvernementale de la Francophonie (AIF).

Dans cette école de Brazzaville, au Congo, les élèves manquent parfois de livres et de cahiers. L'une des principales missions de la Francophonie est d'améliorer l'éducation des enfants dans tous les pays membres.

LA RÉFORME DE LA FRANCOPHONIE

En 1997, la Francophonie a été réformée par les chefs d'État et de gouvernement des pays francophones, lors d'un Sommet qui a eu lieu à Hanoi, au Vietnam. L'Organisation internationale de la Francophonie (OIF) a été créée. Elle est devenue l'organe politique de la Francophonie. Cet organe s'est doté de ce qu'on appelle un opérateur principal pour remplacer l'ACCT. Cet opérateur principal, appelé Agence intergouvernementale de la Francophonie (AIF), a été intégré à l'OIF en novembre 2005.

L'OIF s'est aussi dotée de quatre opérateurs directs. Il s'agit de l'Agence universitaire de la Francophonie (AUF) qui remplace l'Aupelf-Uref, de la chaîne de télévision TV5, de l'Association internationale des Maires francophones (AIMF) et de l'Université Senghor d'Alexandrie. Elle s'est également dotée d'une assemblée consultative appelée Assemblée parlementaire de la Francophonie (APF).

ACTIVITÉS

Saviez-vous que l'Agence de coopération culturelle et technique a été créée en 1970, à Niamey, la capitale du Niger ? C'est pourquoi le président du Niger de cette époque, Diori Hamani, est considéré comme l'un des pères fondateurs de la Francophonie.

1 Quelle est la signification du sigle Confémen ?

_____

_____

_____

2 Quelle est la signification du sigle Conféjes ?

_____

_____

_____

3 Quelle est la signification du sigle OIF ?

_____

_____

4 Quelle est la signification du sigle AIF ?

_____

_____

5 Quelle est la signification du sigle AUF ?

_____

_____

6 Quelle est la signification du sigle AIMF ?

_____

_____

_____

Les pays francophones

RÉPARTITION PAR CONTINENT

Les pays francophones se trouvent sur les cinq continents. Dans ces pays, le français est soit la langue officielle (ou une des langues officielles), soit une importante langue de culture parlée en ville ou enseignée dans les écoles, ou une langue héritée de la colonisation.

En Afrique :
L'Algérie, Le Bénin, le Burkina Faso, le Burundi, le Cameroun, la République centrafricaine, les Comores, le Congo, la République démocratique du Congo, la Côte d'Ivoire, Djibouti, l'Égypte, le Gabon, la Guinée, Madagascar, le Mali, le Maroc, Maurice, la Mauritanie, le Niger, le Rwanda, le Sénégal, les Seychelles, le Tchad, le Togo.

En Europe :
La Belgique, la France, Monaco et la Suisse.

En Asie :
Le Cambodge, le Laos, le Liban, la Syrie et le Vietnam.

En Amérique :
Le Canada (les provinces du Québec et du Nouveau-Brunswick), les États-Unis (L'État de Louisiane).

Dans le Pacifique :
Le Vanuatu.

UNE MAJORITÉ DE PAYS SOUS-DÉVELOPPÉS

La grande majorité des pays francophones fait partie des pays les moins avancés. Seuls la France, le Canada, la Belgique, la Suisse, le Luxembourg et Monaco peuvent être considérés comme des pays développés. À eux seuls, ils contribuent à plus de 96 % au budget des institutions de la Francophonie.

Ici, nous avons une belle vue de la ville de Yaoundé, la capitale du Cameroun. Mais cela n'empêche : le Cameroun est un pays sous-développé, comme la grande majorité des pays membres de la Francophonie.

Saviez-vous qu'on parle également le français dans certains départements et territoires français loin de la métropole ? Dans l'océan Atlantique : la Guadeloupe, la Guyane, la Martinique, Saint-Barthélemy et Saint-Pierre-et-Miquelon. Dans l'océan Indien : les îles Kerguelen, Mayotte, les îles de la Nouvelle-Amsterdam, la Réunion. Dans l'océan Pacifique : Wallis-et-Futuna, la Polynésie française.

1 Quels sont les critères qui peuvent nous amener à considérer un pays comme étant francophone ?

_____

_____

2 Complétez le tableau suivant :

Continent	Pays francophones
Afrique	
Europe	
Asie	
Amérique	
Pacifique	

3 Complétez le tableau suivant :

Niveau de développement	Pays francophones
Pays développés	
Pays pauvres	

4 Quel est le pourcentage de la contribution des pays développés au budget des institutions francophones ?

_____

Le fonctionnement de la Francophonie

LE SECRÉTARIAT GÉNÉRAL

Au sommet des institutions francophones, se trouve l'Organisation internationale de la Francophonie. Elle compte 63 membres. Son siège est à Paris. C'est un organisme politique, qui donne la position de tous les pays francophones qui en sont membres sur les questions internationales. L'OIF a un statut d'observateur auprès de l'Organisation des Nations Unies (ONU). Depuis octobre 2002, elle est dirigée par Abdou Diouf, l'ancien Président du Sénégal. Il a pris la succession de Boutros-Boutros Ghali, l'ancien Secrétaire général de l'Organisation des Nations Unies.

Le Secrétaire général est le plus haut fonctionnaire de la Francophonie. Il est désigné par les chefs d'État et de gouvernement, lors des Sommets de la Francophonie, pour un mandat de quatre ans.

LES INSTANCES DE DÉCISION

Tous les deux ans, les chefs d'État et de gouvernement des pays francophones se réunissent en Sommet, dans un pays membre. C'est ce Sommet qui définit les grandes orientations dans les domaines politiques, économiques et éducatifs que doit mettre en œuvre le Secrétaire général de l'OIF. Outre les Sommets de la Francophonie, deux autres instances de décision se réunissent régulièrement dans le système francophone :

– La Conférence ministérielle de la Francophonie (CMF), qui regroupe les ministres des Affaires étrangères des pays membres. Elle veille à l'exécution des décisions prises lors des Sommets de la Francophonie.

– Le Conseil permanent de la Francophonie (CPF), qui est composé de représentants personnels des chefs d'État et de gouvernement des pays membres de la Francophonie. C'est lui qui suit au quotidien l'exécution des décisions prises lors des Sommets de la Francophonie.

Tous les deux ans, les chefs d'État et de gouvernement des pays membres de la Francophonie se réunissent dans un pays membre. On parle alors du Sommet de la Francophonie. Sur cette photo, ils étaient réunis à Ouagadougou, la capitale du Burkina Faso, en 2004.

Saviez-vous que L'OIF comprend 63 membres ? 49 États et gouvernements sont des membres de plein droit : la Côte d'Ivoire, Maurice, la Belgique, Djibouti, la Mauritanie, le Bénin, la Dominique, la Moldavie, la Bulgarie, l'Égypte, Monaco, le Burkina Faso, la France, le Niger, le Burundi, le Gabon, la Roumanie, le Cambodge, la Guinée, le Rwanda, le Cameroun, la Guinée Bissau, Sainte-Lucie, le Canada, la Guinée équatoriale, Sao Tomé et Principe, le Canada-Nouveau-Brunswick, le Canada-Québec, Haïti, le Sénégal, le Laos, les Seychelles, le Cap-Vert, le Liban, la Suisse, la République centrafricaine, le Luxembourg, le Tchad, la Communauté française de Belgique, le Togo, la Tunisie, l'Union des Comores, Madagascar, le Vanuatu, le Congo, le Mali, le Vietnam, la République démocratique du Congo et le Maroc. 4 États sont associés : l'Albanie, la Grèce, la Macédoine et la Principauté d'Andorre. 10 États sont observateurs : l'Arménie, la Géorgie, la Slovénie, l'Autriche, la République tchèque, la Hongrie, la Croatie, la Pologne, la Lituanie, la Slovaquie.

1 **Quel est le rôle de l'OIF ?**

_____

_____

2 **Quel titre porte le principal responsable de l'OIF ?**

_____

3 **Quelle est la périodicité des Sommets de la Francophonie ?**

_____

4 **Quel est le rôle des différentes instances de décision de la Francophonie ?**

• Sommets de la Francophonie : _____

_____

_____

• Conférence des ministres de la Francophonie : _____

_____

_____

• Conseil permanent de la Francophonie : _____

_____

_____

Les opérateurs de la Francophonie

L'AIF

L'Agence intergouvernementale de la Francophonie (AIF) est l'opérateur principal de la Francophonie. Son siège est à Paris. Elle a été créée après la réforme de la Francophonie, en 1997, pour remplacer l'Agence de coopération culturelle et technique (ACCT). En novembre 2005, lors d'une réunion de la Conférence des ministres de la Francophonie, l'AIF a été totalement intégrée à l'OIF.

L'AIF a pour objectifs de mener des actions efficaces dans le domaine du développement économique et de promouvoir la langue française et les cultures francophones.

L'AUF, TV5, L'AIMF ET L'UNIVERSITÉ SENGHOR

On les appelle « opérateurs directs » de la Francophonie :

– L'Agence universitaire de la Francophonie (AUF) regroupe plus de 500 universités dans le monde, travaillant en français. Son siège est à Montréal, au Canada. Elle a pour objectifs de renforcer la coopération entre ces universités et d'aider à la constitution d'un espace scientifique en français.

– La chaîne de télévision TV5 diffuse des programmes en français dans le monde. Son siège est à Paris. Elle est présente sur les cinq continents, et touche plus de 147 millions de foyers.

– L'Association internationale des Maires francophones (AIMF) regroupe les maires de plus de 115 capitales et grandes villes francophones. Son siège est à Paris. Elle s'occupe principalement du développement des villes.

– L'Université Senghor d'Alexandrie, en Égypte, a pour but de former et de perfectionner les cadres francophones.

La chaîne de télévision TV5 diffuse des programmes des chaînes francophones dans le monde entier. Sur cette photo prise lors du Sommet de la Francophonie à Ouagadougou, la capitale du Burkina Faso, en 2004, TV5 a construit un studio en plein air où des journalistes pouvaient recevoir leurs invités.

Saviez-vous quels sont les titres des principaux responsables des opérateurs de la Francophonie ? L'AIF est dirigé par un administrateur, l'AUF par un recteur, TV5 par un président, l'Université Senghor par un recteur et l'AIMF par un président.

1 Quelle est l'institution qu'a remplacé l'AIF ?

_____

2 Dans quelle ville est installé le siège de l'AIF ?

_____

3 Quel est son rôle ?

_____

_____

_____

4 Complétez le tableau suivant :

Organe politique de la Francophonie	
Instances de décision de la Francophonie	
Opérateur principal de la Francophonie	
Opérateurs directs de la Francophonie	

1 Les danses

LE « NDOMBOLO », LA DANSE DES HANCHES

En République démocratique du Congo, on danse beaucoup le «ndombolo»*. Il s'agit d'une danse créée par le musicien Koffi Olomidé et devenue populaire au cours des années 1990. En réalité, c'est une forme plus jeune et branchée d'un rythme plus ancien de ce pays, qu'on appelle le «soukouss»*. L'essentiel de cette danse est constitué de mouvements de hanches. Comme le rythme est lent, le danseur se secoue les hanches, fait un ou deux pas en avant ou en arrière et réalise une feinte ou un tourniquet. Le «ndombolo» est aujourd'hui l'une des danses les plus en

Sur cette photo, le musicien congolais Koffi Olomidé esquisse, en compagnie de ses danseuses, des pas de «ndombolo». Pour danser sur ce rythme, il faut savoir se secouer les hanches.

vogue chez les Africains. Il est rare de se rendre dans une fête des Africains sans qu'on ne passe une grande séquence de «ndombolo». Certains trouvent cette danse obscène, car elle expose beaucoup le fessier de la danseuse.

LE « MAPOUKA », LA DANSE DU FESSIER

En Côte d'Ivoire, l'une des danses les plus célèbres du pays est appelée le «mapouka»*. Cette danse a été popularisée au début des années 1990 par un orchestre de jeunes nommé «Ambiance facile».

«Mapouka» vient du diminutif du mot, en langue locale, «mapakaté»*, qui signifie en français «mettre en ordre une maisonnée». Le principe de la danse est le suivant: le danseur ou la danseuse se met droit debout et fait bouger son muscle fessier. Il s'agit-là du «mapouka» originel. Les jeunes d'Abidjan, la capitale de la Côte d'Ivoire, le dansent, eux, à deux: la fille est droit debout et fait bouger son muscle fessier et elle est enlacée par derrière par un garçon. Ce «mapouka» des jeunes, comme le «ndombolo» de la République démocratique du Congo, est considéré comme obscène par certaines personnes.

Saviez-vous qu'il existe deux Congo ? L'un est la République démocratique du Congo, dont la capitale est Kinshasa. Il compte 57 millions d'habitants. L'autre est la République du Congo, dont la capitale est Brazzaville. Il compte 3,1 millions d'habitants. Les deux Congo sont séparés par un fleuve appelé lui aussi Congo.

1 Qui a créé le rythme musical appelé «ndombolo» ?

_____

_____

2 Vers quelle période le «ndombolo» est-il devenu célèbre ?

_____

3 Comment danse-t-on le «ndombolo»?

_____

_____

_____

4 Comment s'appelait l'orchestre qui a rendu populaire la danse appelée «mapouka» ?

_____

_____

5 Comment danse-t-on le «mapouka originel» ?

_____

_____

_____

6 Comment les jeunes d'Abidjan dansent-ils le «mapouka» ?

_____

_____

_____

LE « BIKUTSI », LA DANSE DES PIEDS

Au Cameroun, on danse beaucoup le « bikutsi »*. En français, « bikutsi » signifie « frappons le sol ». Dans la vaste forêt du sud de ce pays, où se trouve Yaoundé, la capitale, les populations de l'ethnie *béti**, qui l'ont inventé, le dansent ainsi : ils frappent fortement les pieds par terre en se secouant les hanches. Cette danse est pratiquée au son de rythmes anciens joués à l'aide de ce qu'on appelle au Cameroun le « mendzan »*, ou « balafon » en français. Il s'agit d'un xylophone composé d'un châssis sur lequel sont disposées de façon parallèle plusieurs lames de bois. Chaque lame de bois a un son différent.

De plus en plus, il se pratique aussi un « bikutsi » moderne, où les sons proviennent de guitares, de saxophones et d'autres instruments. Mais la danse, elle, n'a pas changé. Le « bikutsi » est également dansé au Gabon et en Guinée équatoriale, pays dans lesquels on trouve des membres de l'ethnie béti.

LA DANSE PYGMÉE,
OU L'INITIATION DES CHASSEURS

En République centrafricaine, on trouve une ethnie de *Pygmées**, qu'on appelle les « Aka »*, ou les « Baka »*. Ces « Aka » ont la réputation d'être de grands chanteurs. Chaque chanteur « aka » peut, au cours d'un même morceau, passer d'une voix à l'autre, pour créer plusieurs sons différents. C'est pourquoi on appelle leur rythme musical la « musique polyphonique ». Les chants sont le plus souvent accompagnés par plusieurs instruments à percussion.

La musique « aka » est jouée lors de cérémonies précédant les grandes chasses, les fêtes dans les campements ou les funérailles. Cette musique est généralement dansée par des hommes et des femmes qui imitent le comportement des animaux, ou les différentes positions que prend un chasseur quand il se trouve en plein milieu de la forêt.

Quand les Pygmées dansent, ils imitent des gestes de chasse, dans la forêt. Sur cette photo prise en République centrafricaine, ces Pygmées « Aka » imitent un animal qui essaie de trouver une cachette dans la forêt, sous la menace des chasseurs.

Saviez-vous que le nom « Cameroun » vient de « crevettes » ? Quand les Portugais ont découvert le fleuve Wouri, qui bordait la côte de ce territoire, au XVe siècle, ils l'ont baptisé « Rio dos Camaroes », qui veut dire « la rivière des crevettes ». Les Espagnols l'appelleront plus tard « Rio dos camarones », et les Français « Cameroun ».

1 Que signifie en français le terme « bikutsi » ?

_____

_____

2 Comment danse-t-on le « bikutsi » ?

_____

_____

_____

3 Quel est l'instrument traditionnel de base qui sert à jouer le « bikutsi » ?

_____

4 Quels sont les instruments modernes qui servent de plus en plus à jouer le « bikutsi » ?

_____

_____

5 Pourquoi appelle-t-on la musique des Pygmées « Aka », une « musique polyphonique » ?

_____

_____

_____

6 Comment dansent les Pygmées ?

_____

_____

_____

_____

LE « RAQS SHARQI », LA DANSE DU VENTRE

En Égypte, a été inventée ce que beaucoup considèrent aujourd'hui comme la plus vieille danse féminine du monde : le « raqs sharqi »*, que certains appellent aussi la « danse du ventre ». On danse le « raqs sharqi » pieds nus, et pour rendre les mouvements plus sensuels, on attache un foulard autour des hanches de la danseuse. Sur un son de musique des pays de la région du Moyen-Orient, on fait balancer la partie supérieure du corps, les bras, le bassin et les hanches. Cette danse se caractérise principalement par les mouvements de va-et-vient du bassin, que la danseuse exécute jusqu'au tremblement de tout son corps. La chanteuse la plus célèbre du « raqs sharqi » est l'Égyptienne *Oum Kalthoum**, que l'on surnommait aussi « l'astre de l'Orient ».

Oum Kalthoum reste jusqu'aujourd'hui la plus grande star que la musique arabe ait eue. À sa mort, le 3 février 1975, à l'âge de 75 ans, plus de 500 000 personnes ont accompagné sa dépouille. Du jamais vu dans un pays arabe.

LE « MORINGUE », UNE DANSE DE COMBAT

À l'île de la Réunion, au XVIIIe siècle, des esclaves ont inventé une danse qu'on appelle le « moringue »*. Il s'agit d'une danse de combat, qui se termine par un exercice de gymnastique.

Le « moringue » se pratique en trois parties : d'abord un combat, suivi d'une danse, et, à la fin, un exercice de gymnastique. Pendant le combat, de nombreux coups de pieds sont donnés de face, un peu comme lors d'une séance d'arts martiaux. Les adversaires ne doivent pas se donner de coups avec les bras, ou se saisir les vêtements.

La danse, quant à elle, est une danse de provocation. Elle est très athlétique, et se pratique au son d'instruments traditionnels comme des bambous ou des boîtes vides. La gymnastique est constituée d'étirements qui se font avec beaucoup de beauté et de créativité. Les différents combattants doivent pouvoir se départager au bout de ces trois étapes, sinon ils doivent jouer du « djembé »*, qui est un grand tambour africain en peau de chèvre ou d'antilope, que l'on bat à mains nues.

Saviez-vous que l'Égypte existe depuis 3 200 ans avant notre ère ? Après avoir été le berceau de l'une des plus brillantes civilisations du monde, c'est aujourd'hui l'une des principales puissances arabes. Sa capitale est Le Caire, et le pays compte 66,9 millions d'habitants.

1 Comment danse-t-on le « raqs sharqi » ?

_____

_____

_____

_____

2 Quelle est la principale caractéristique de cette danse ?

_____

_____

3 Citez une chanteuse célèbre de « raqs sharqi » :

_____

4 En quelle période et par qui a été inventé le « moringue » ?

_____

_____

5 Quelles sont les trois étapes qui composent cette danse ?

_____

_____

_____

_____

6 Quels sont les instruments traditionnels utilisés pour jouer le « moringue » ?

_____

_____

_____

Les danseuses de « séga » évoluent en tenant les bouts de leurs longues jupes. Ces jupes sont le plus souvent multicolores, car dans les îles de la Réunion et de Maurice, au bord de la plage et sous le soleil, on adore les couleurs vives.

LE « SÉGA », LA DANSE DU BASSIN

À Maurice et à la Réunion, deux îles sœurs qu'on appelle aussi les *Mascareignes**, on danse beaucoup le « séga »*. Il s'agit d'une danse inventée par les descendants d'es-claves, pratiquée lors de diverses cérémonies : *funérailles**, mariages, anniversaires, etc. Le « séga » se danse à deux : le danseur tourne autour de la danseuse sans que leurs corps ne se touchent. Un autre danseur peut s'immiscer dans ce couple, et c'est avec lui que la femme dansera, jusqu'à ce qu'un autre vienne à nouveau s'immiscer dans le couple, et ainsi de suite. Les danseurs sont pieds nus. La femme porte une longue jupe dont elle tient les bouts et l'homme est le plus souvent coiffé d'un chapeau de paille. Le « séga » se danse aux sons du rythme « séga », joué à partir d'instruments locaux comme la ravanne et le bobre.

LE « LAM VONG », LA « DANSE EN ROND »

Au Laos, la danse la plus populaire est le « lam vong »*, qu'on appelle aussi « danse en rond ». Pendant les cérémonies au cours desquelles elle est exécutée, les hommes et les femmes se mettent face à face en formant un cercle autour de la piste. Chaque danseur place un de ses pieds sur l'autre et seules les mains bougent. La musique qui accompagne cette danse est produite à base des sons du « khène »*, qui est une sorte d'orgue à bouche traditionnel. Le « lam vong » est exécuté lors des grandes cérémonies de naissance, mariage ou enterrement. Quand les Laotiens ne dansent pas le « lam vong », ils pratiquent ce qu'on appelle là-bas la « danse des trois tribus », qui réunit les tribus « lao theung »*, « lao soung »* et « lao loum »*.

Saviez-vous que la Réunion est un département français d'outre-mer (un DOM) ? Cela veut dire que ce territoire fait partie de la France, ce qui n'est pas le cas de sa « sœur jumelle » de la région de l'océan Indien, l'île Maurice. Son chef-lieu est Saint-Denis de la Réunion, et elle compte 706 300 habitants.

1   Comment danse-t-on le « séga » ?

_____

_____

_____

_____

2   Comment sont habillés les danseurs de « séga » ?

_____

_____

_____

3   Quels sont les instruments de musique qui accompagnent le « séga » ?

_____

_____

4   Comment danse-t-on le « lam vong » ?

_____

_____

_____

5   Au cours de quelles cérémonies exécute-t-on le « lam vong » ?

_____

_____

6   Citez une autre danse laotienne :

_____

L'« ASSIKO », LA DANSE DE LA BOUTEILLE

Au Cameroun, dans une ethnie qu'on appelle les «Bassa»*, il existe une danse appelée «assiko»*. Cette danse a une particularité : elle peut s'exécuter avec une bouteille sur la tête. L'«assiko» se danse ainsi : le danseur est vêtu d'un pagne bien enroulé au niveau de son bassin et il pose une bouteille sur sa tête. Le principe de la danse est de pouvoir, en se secouant les reins, descendre et remonter sans que la bouteille ne se renverse. L'«assiko» est exécuté lors des grandes fêtes telles que les anniversaires, les mariages, les naissances, etc.

L'«assiko», qui est aussi un rythme musical, est chanté par de grands musiciens dont le plus célèbre est Jean Bikoko Aladin.

LE « ZOUGLOU », LA DANSE DU FOU

En Côte d'Ivoire est née, au début des années 1990, l'une des danses les plus populaires d'Afrique. Cette danse s'appelle le «zouglou»*. Elle a été inventée par des jeunes étudiants qui imitaient un fou faisant des grimaces. Le principe de cette danse, qui est exécutée dans la plupart des fêtes africaines, est simple : le danseur va dans un coin de la salle, et il se met à improviser des grimaces. L'une des variantes du «zouglou», très populaire ces dernières années, est le «couper-décaler»*. Le «zouglou» a eu tellement de succès en Afrique que certains spécialistes l'ont qualifié de «danse la plus novatrice des années 1990 en Afrique.» Le groupe de «zouglou» le plus connu de Côte d'Ivoire est «Magic System»*, avec son titre «Premier gaou»*.

Danser le «zouglou», c'est improviser des pas de danse. Dans les quartiers populaires d'Abidjan, la principale ville de Côte d'Ivoire, comme sur cette photo, on danse le «zouglou» à longueur de journée dans des bars, qu'on appelle là-bas «maquis».

1 Dans quelle ethnie du Cameroun danse-t-on l'« assiko » ?

_____

2 Comment danse-t-on l'« assiko » ?

_____
_____
_____
_____

3 Au cours de quelles cérémonies danse-t-on l'« assiko » ?

_____
_____
_____

Saviez-vous que la Côte d'Ivoire est le premier producteur mondial de cacao ? À elle seule, elle produit plus du quart de la production mondiale.

4 Par qui et comment a été inventé le « zouglou » ?

_____
_____
_____

5 Comment danse-t-on le « zouglou » ?

_____
_____
_____
_____

6 Citez un groupe de « zouglou » célèbre :

_____

2

Les rythmes musicaux

LA BIGUINE, UN RYTHME ANTILLAIS

Dans la région des **Antilles (Guadeloupe, Martinique, Haïti)**, l'un des rythmes musicaux les plus populaires est la *biguine**. Créée dans les années 1930, elle a été grandement influencée par les orchestres de jazz de la Nouvelle-Orléans. Le mot « biguine » viendrait d'ailleurs de l'anglais « begin », lancé par les chefs d'orchestre de jazz pour faire débuter la musique.

Les orchestres qui pratiquent la biguine originelle sont composés d'une clarinette*, d'un *trombone** et d'un *banjo**. Mais, de plus en plus, on trouve également des trompettes, des saxophones, de la guitare basse et rythmique, de l'orgue et de la batterie. La biguine se danse de façon très vivante, avec des habits de soirée pour les hommes et les femmes.

LE JAZZ, INVENTÉ PAR LES NOIRS AMÉRICAINS

Apparu au début du XXe siècle à **La Nouvelle-Orléans**, la principale ville de la Louisiane, le jazz est devenu l'un des rythmes musicaux les plus riches et les plus populaires du monde. L'origine du nom « jazz »* n'est pas bien connue : pour certains, ce mot viendrait des mots africains « jaja »*, qui voudrait dire « danser » ou « jasi »*, qui voudrait dire « excité ». Pour d'autres, il viendrait d'une insulte raciste des Blancs envers les Noirs : « jackass music »*, qui veut dire « musique d'âne ». Mais une chose est sûre : le jazz a été créé par les anciens esclaves noirs des États-Unis, qui ont apporté à cette musique certaines techniques de la musique européenne. C'est le Noir américain *Buddy Bolden** qui est considéré comme le créateur du jazz moderne, mais celui qui l'a rendu populaire est un autre Noir américain : il s'appelle *Louis Armstrong**.

Louis Armstrong, le plus populaire des musiciens de jazz, en train de jouer de son instrument préféré : la trompette. Né en 1900, il est décédé en 1971.

1 Quel est le rythme musical qui a influencé la biguine ?

_____

_____

2 Quelle est l'origine du mot biguine ?

_____

_____

3 Quels sont les instruments de musique qui servent à jouer de la biguine ?

• originelle : _____

_____

• moderne : _____

_____

Saviez-vous que la Louisiane a été vendue aux Américains ? C'est Napoléon Bonaparte, qui deviendra plus tard empereur des Français, qui l'a cédée, en 1803, pour le prix de 15 millions de dollars. La Louisiane est de ce fait devenue le dix-septième État des États-Unis.

4 Quelles sont les différentes thèses qui s'affrontent sur l'origine du nom « jazz » ?

_____

_____

_____

5 Qui sont les inventeurs du jazz ?

_____

_____

6 Quel est le nom :

• de celui qui est considéré comme l'inventeur du jazz moderne ? _____

• de celui qui a popularisé le jazz ? _____

Jouer devant les rois du Vietnam était un grand honneur pour les musiciens de « nha nhac ». Il fallait non seulement être un des meilleurs artistes du royaume, mais aussi être initié aux traditions de la cour royale.

LE « NHA NHAC », LES MUSIQUES ROYALES

Au Vietnam, on désigne les huit sortes de musique qu'on pouvait jouer à la cour des anciens rois par le nom de «nha nhac»*. Seuls les membres de la famille royale et les grands notables pouvaient faire jouer ces musiques, lors des grandes occasions.
Ces huit musiques sont :
– le «giao nhac», chanté tous les trois ans lorsque le roi faisait un sacrifice en l'honneur du ciel et de la terre.
– Le «mieu nhac», chanté à l'occasion de l'anniversaire du décès des rois.
– Le «ngu tu nhac», chanté lors des sacrifices.
– Le «cuu nhut nguyête ciao trung nhac», chanté en cas d'éclipse solaire.
– Le «dai trieu nhac», chanté lors de la réception des personnes importantes.
– Le «thuong trieu nhac», chanté lors des petites audiences.
– Le «dai yen cuu tâu nhac», chanté lors des grands banquets.
– Le «cung trung chi nhac», chanté lors des divertissements.

LE « PINPEAT », LA MUSIQUE DES PAGODES

Au Cambodge, on chante dans les pagodes* un rythme musical appelé «pinpeat»*. Cette musique se joue à partir d'instruments comme : deux xylophones à lames de bambou qu'on appelle «roneat»*, deux jeux de gongs horizontaux et circulaires qu'on appelle «kong-thom»*, de gros tambours appelés «skor-thom»* faits à partir de peaux de buffle qu'on frappe avec un gros morceau de bois très dur, et de petits tambours appelés «sampho»*. Un instrument appelé «sralay»* donne une mélodie à cette musique. Le «pinpeat» est exécuté lors des fêtes religieuses, le plus souvent dans la ville de Battambang*, à l'Ouest du pays.

Saviez-vous que le Vietnam a connu une guerre contre les États-Unis ? Elle a duré 10 ans, de 1965 à 1975. Les Américains soutenaient les Sud-Vietnamiens, ouverts au capitalisme, contre les Nord-Vietnamiens, socialistes. Le Nord finira par l'emporter après la mort de 55 000 Américains et de plus d'un million de Vietnamiens pendant les combats.

1 Par quel nom désigne-t-on les musiques royales au Vietnam ?

_____

2 Pourquoi les appelle-t-on musiques royales ?

_____

_____

_____

3 Complétez le tableau suivant par de flèches correspondantes :

Le « mieu nhac », chanté : •   • en cas d'éclipse solaire

le « ngu tu nhac », chanté : •   • lors des sacrifices

le « cuu nhut nguyête ciao trung nhac », chanté : •   • lors de l'anniversaire du décès des rois

le « dai trieu nhac », chanté : •   • lors des grands banquets

le « thuong trieu nhac », chanté : •   • lors des petites audiences

le « dai yen cuu tâu nhac », chanté : •   • lors de la réception des personnes importantes

le « cung trung chi nhac », chanté : •   • lors des divertissements

4 Au Cambodge, dans quelle enceinte joue-t-on le « pinpeat » ?

_____

5 Quels sont les instruments de musique qui servent à jouer le « pinpeat » ?

_____

_____

6 Au cours de quelles cérémonies le « pinpeat » est-il exécuté ?

_____

_____

LA RUMBA, UNE MUSIQUE POPULAIRE

En République démocratique du Congo est née la « rumba zaïroise »*, considérée aujourd'hui comme l'un des rythmes musicaux les plus populaires d'Afrique. La rumba a connu plusieurs appellations : « jazz africain »*, « jazz congolais »*, « musique zaïroise »* ou « soukouss »*. Les plus grands noms de cette musique sont Pépé Grand Kallé, Franco de Mi Amor, Docteur Nico, Verckys, Seigneur Rochereau.

Au début, la rumba se jouait à partir d'une guitare acoustique appelée « sanza »* et d'une bouteille en verre qui tenait lieu de percussion. Depuis quelques années, l'instrument le plus utilisé est la guitare rythmique.

LE « MAKOSSA », AU RYTHME DU « BAL À TERRE »

Au Cameroun, le rythme musical le plus populaire est le « makossa »*. Créé autour des années 1940 par des musiciens de la région de Douala, la capitale économique de ce pays, le « makossa » a connu un grand succès dans le monde entier avec des musiciens comme le saxophoniste Manu Dibango. Le « makossa » est considéré comme l'un des premiers rythmes musicaux modernes d'Afrique. Les principaux instruments utilisés pour le jouer sont la guitare basse et rythmique, la batterie et parfois des percussions. Mais ce qui impressionne le plus les gens quand on joue le « makossa », c'est le moment où le danseur doit faire le « bal à terre »*. Le danseur descend alors doucement sur ses genoux et il remonte au même rythme, pendant que la musique est dominée par le son de la guitare basse.

Manu Dibango fut le premier interprète de « makossa » dans les grandes salles européennes et américaines. On parlait alors de « soul makossa »*, un mélange de rythmes camerounais et de jazz.

1   Quels sont les différents noms de la « rumba zaïroise » ?

_____

_____

2   Parmi les noms des musiciens de « rumba zaïroise » suivants, cherchez l'intrus :

Pépé Grand Kallé, Manu Dibango, Docteur Nico, Verckys, Seigneur Rochereau.

3   Qu'est-ce qu'une « sanza » ?

_____

_____

4   Qu'est-ce qui tenait lieu de percussion dans les anciennes chansons de « rumba zaïroise » ?

_____

5   Quel est l'instrument moderne le plus utilisé actuellement pour jouer la « rumba zaïroise » ?

_____

Saviez-vous que la capitale politique du Cameroun est Yaoundé ? Sa capitale économique, qui est aussi la plus grande ville du pays, est Douala. La population du pays compte 15,7 millions d'habitants.

6   Quel est le musicien de « makossa » le plus connu dans le monde ?

_____

7   Quels sont les instruments les plus utilisés pour jouer du « makossa » ?

_____

_____

8   Comment s'exécute le « bal à terre » ?

_____

_____

LE « MBALAX », ENTRE TRADITION ET MODERNITÉ

Au Sénégal, le rythme musical le plus populaire est le «mbalax»*. Il s'agit d'un rythme qui mélange les instruments traditionnels comme le «djembé»* ou la «cora»* aux instruments modernes de pop, de rock ou même de jazz. C'est dans les années 1940 que les premiers «mbalax» apparaissent. À cette période, les descendants de griots sénégalais commencent à mélanger la musique traditionnelle à celle importée par des esclaves libérés, qui ont décidé de revenir s'installer en Afrique. À partir des années 1970 apparaissent les sons de guitare et de saxophone, qui donnent au «mbalax» son rythme actuel. La danse «mbalax» est très athlétique, ce qui la rapproche souvent de la «funk»* américaine. Le plus grand musicien actuel de «mbalax» est *Youssou N'dour*.

Le talent de Youssou N'dour a depuis longtemps dépassé les frontières du Sénégal. En 1998, il a été l'un des interprètes de l'hymne de la Coupe du Monde de Football qui a été disputée en France.

LE « RAÏ », UNE MUSIQUE DE REVENDICATIONS

En Algérie, le rythme musical le plus populaire est le «raï»*. Cette musique, qui est très ancienne, a commencé à se répandre en Algérie, dans la région d'Oran, au début des années 1900. Autour des années 1950, elle est devenue une musique des Algériens qui demandaient l'indépendance de leur pays. Même si aujourd'hui elle a beaucoup changé, elle reste l'une des principales voies de revendication pour les plus pauvres d'Algérie. L'instrument de base du «raï» est la darbouka*, un instrument à percussion en bois ou en métal, recouvert d'une peau d'animal. Les instruments modernes sont la batterie, la guitare basse, la guitare électrique et les synthétiseurs. Les musiciens de «raï» les plus populaires sont Cheikh Khaled, Cheb Mami et Rachid Taha.

A C T I V I T É S

1 Pour quelles raisons peut-on considérer le « mbalax » comme un rythme situé entre la modernité et la tradition ?

_____

_____

_____

2 Vers quelle période apparaissent les premiers « mbalax » ?

_____

3 Que marque le tournant des années 1970 ?

_____

_____

4 Quel est actuellement le plus grand musicien de « mbalax » ?

_____

Saviez-vous que l'Algérie a connu une guerre d'indépendance contre la France ? Elle a commencé en 1954 et ne s'est terminée qu'en 1962, quand la France a accordé son indépendance à ce pays.

5 Vers quelle période le « raï » se répand-il en Algérie ?

_____

6 Quel est l'instrument de base du « raï » traditionnel ?

_____

7 Quels sont les instruments modernes du « raï » ?

_____

_____

8 Citez quelques musiciens populaires de « raï » :

_____

_____

LE « ZOUK », LA MUSIQUE ANTILLAISE

En Martinique et en Guadeloupe, qu'on appelle aussi les Antilles françaises, le rythme musical le plus populaire est le « zouk »*. Au début, le « zouk » était une grande fête de campagne, avant de devenir un rythme musical. C'est un groupe musical appelé « Kassav »* qui a transformé le « zouk » en rythme musical, autour des années 1970. À partir de la musique antillaise traditionnelle, les « Kassav » ont ajouté des rythmes africains comme le « makossa »* du Cameroun ou le « soukouss »* du Congo, créant ainsi ce rythme musical qui est aujourd'hui écouté dans de nombreux pays. D'autres groupes comme « Zouk Machine »* ou « Malavoi »* ont aussi rendu populaire cette musique. Aujourd'hui, il existe une autre variété du « zouk », qu'on appelle le « zouk love »*, dansé comme des « slows »*, surtout par les jeunes.

Le « zouk » est un rythme qui crée beaucoup d'ambiance et de mouvement. Lors des concerts du groupe « Kassav », la salle est généralement en folie.

LA VALSE ET LE BLUES, MUSIQUES CAJUNS

En Louisiane, aux États-Unis, les descendants des Français, qu'on appelle les « Cajuns »*, pratiquent le plus souvent un rythme musical chanté en « vieux français », fait de valse et de *blues**, qu'on appelle « musique cajun ».
Cette musique est un mélange de la vieille musique française et de musiques américaines, indiennes, allemandes, espagnoles et africaines. Les instruments les plus utilisés pour jouer cette musique sont le violon* et l'accordéon*. Les principaux artistes de la « musique cajun » sont Zachary Richard, Alfonse Ardoin, Michael Doucet, Sady Courville, Bee Deshotes, Wallace Read, Milton Molitor, Alex Broussard et Doc Guidry. Tous ceux qui jouent ce rythme musical disent qu'il leur permet de conserver l'identité « cajun » en Amérique.

Saviez-vous que la Martinique est un département français d'outre-mer (DOM) ? Son chef-lieu est Fort-de-France, et sa population compte 381 427 habitants.

1 Avant d'être un rythme musical, qu'était le « zouk » ?

_____

_____

2 Qui a transformé le « zouk » en rythme musical ?

_____

3 Citez deux rythmes musicaux africains qui ont influencé la création du « zouk » ?

_____

_____

4 Citez deux groupes musicaux qui jouent du « zouk » :

_____

_____

5 Quels sont les rythmes musicaux qui influencent la « musique cajun » ?

_____

_____

6 Cherchez l'intrus : la « musique cajun » est un mélange de musiques :

françaises, américaines, indiennes, allemandes, espagnoles, polonaises et africaines.

7 Quels sont les principaux instruments de musique utilisés dans la « musique cajun » ?

_____

_____

8 Citez deux musiciens « cajuns » :

_____

_____

3 Les fêtes

LE « TOKA », LA FÊTE DU PARTAGE

Au Vanuatu, sur l'île de *Tanna**, se déroule régulièrement la plus grande fête du pays, qu'on appelle le « toka »*. Cette fête, qui réunit deux clans, n'a lieu dans un des clans que lorsque celui-ci se trouve assez riche pour recevoir l'autre. Le clan qui reçoit s'appelle la « nao »*, et celui qui est reçu s'appelle le « toka ». La fête regroupe entre 700 et 1 000 personnes. Elle commence le soir : les femmes se mettent à danser, suivies par des jeunes hommes. Ces jeunes hommes dansent en imitant les mouvements des vagues d'eau. Les danses sont rythmées par des grands tambours qui peuvent mesurer deux mètres. Au petit matin, les femmes sont entourées par les hommes qui essaient de prendre leur place dans le cercle de danse. Pendant le reste de la journée se déroule le partage de la nourriture, notamment le « lap-lap »*, qui est le plat le plus populaire du Vanuatu.

LE « PILOU-PILOU », LA FÊTE DES IGNAMES

En Nouvelle-Calédonie, les populations fêtent chaque année l'arrivée de la récolte d'un tubercule très consommé dans ce pays : l'*igname**. Cette fête, qui rassemble plusieurs tribus, se prépare pendant de longs mois : les hommes construisent des cases pour les invités et les femmes tressent des nattes à partir de feuilles d'arbres. Le jour de la fête, chaque tribu apporte ses *provisions**. Ensuite, tout le monde passe à la danse. Les danseurs font comme s'ils étaient en train de lutter : ils courent, sautent, s'enroulent dans la poussière ou la boue, etc. Pendant ce temps, le reste des personnes consomme les provisions apportées. La fête dure jusqu'à ce qu'il n'y ait plus le moindre aliment à consommer.

Voici une étape très importante de la fête du « pilou-pilou »* : la construction des cases qui vont accueillir les invités. Les nattes qui constituent la toiture ont été tressées par les femmes.

Saviez-vous que le Vanuatu est un pays trilingue? Les trois langues officielles du pays sont le fran-çais, l'anglais et le bichlamar, qui est une forme de créole. La capitale du pays est Port-Villa, et sa population est de 142 630 habitants.

1 Qu'est-ce que le «toka» à Vanuatu?

_____

_____

2 Comment appelle-t-on les différents clans?

• Celui qui reçoit: _____

• Celui qui est reçu: _____

3 Comment se déroule le «toka»?

_____

_____

_____

4 Qu'est-ce que le «pilou-pilou», en Nouvelle-Calédonie?

_____

_____

_____

5 Comment se prépare le «pilou-pilou»?

_____

_____

_____

6 Comment se déroule le «pilou-pilou»?

_____

_____

_____

Pendant le «famadihana», les corps des morts sont exhumés, nettoyés et mis dans un nouveau cercueil avant d'être réenterrés. On organise également dans la ville, comme sur cette photo, de longs cortèges funèbres.

LE « FAMADIHANA », LA FÊTE DES MORTS

À Madagascar, il existe une importante fête appelée «famadihana»*, ce qui veut dire «fête de l'exhumation des morts». Cette fête a lieu pendant la saison sèche, qui va du mois de juin au mois de septembre. Pendant le «famadihana», se déroule ce qu'on appelle là-bas le «zanadrazana»* : les membres d'une famille déterrent leurs morts, changent leurs habits, leur parlent, leur demandent des bénédictions, dansent avec eux et les mettent dans un nouveau cercueil avant de les enterrer à nouveau dans le caveau familial. Pendant toutes ces cérémonies, ils mangent ensemble le «varibemenaka»* qui est un plat de riz accompagné de viande de bœuf, ils boivent le «toaka gasy»* qui est du rhum local et ils dansent sur une musique appelée le «hira gasy»*.

LE « MAGAL », LA FÊTE DES « MOURIDES »

Au Sénégal, il existe une importante confrérie religieuse, les «mourides»*, qui célèbre tous les ans une grande fête appelée le «Grand Magal»*. Cette fête commémore le départ en exil, en 1825, du fondateur de cette confrérie, qui s'appelait Amadou Bamba. Pendant cette fête, plus d'un million de Sénégalais convergent de partout dans le monde vers la ville de Touba pour rencontrer un des descendants de Amadou Bamba, qu'on appelle aussi le «Sérigne de Touba». Pendant cette fête, les fidèles prient beaucoup, allument des lampes et déjeunent à base de mouton et d'autres animaux.

Saviez-vous que Madagascar est la quatrième plus grande île du monde ? C'est d'ailleurs pourquoi certains l'appellent également la Grande-Île. Elle a été découverte le 10 août 1500 par un navigateur portugais et, comme le 10 août est jour de la Saint-Laurent, Madagascar a d'abord été appelée l'île Saint-Laurent, avant de prendre son nom d'aujourd'hui. Sa capitale actuelle est Antananarivo, et sa population compte 17 millions d'habitants.

1 Qu'est-ce que le «famadihana» à Madagascar ?

_____

_____

2 Quand se déroule le «famadihana»?

_____

3 Comment se déroule le «famadihana»?

_____

_____

_____

4 Décrivez ce schéma, qui représente les étapes que doit suivre un mouride qui se rend au « Grand Magal»:

LE « GRAND TINTAMARRE », LA FÊTE DU BRUIT

Dans la province du **Nouveau-Brunswick**, au Canada, la journée du 15 août est spéciale: c'est la fête nationale de la province. Même si cette fête n'est pas officiellement reconnue dans tout le Canada, les *Acadiens**, qui sont les francophones du Nouveau-Brunswick, en profitent pour renouer avec leurs racines. À partir de 18 heures, ils descendent dans les rues, maquillés et vêtus de costumes particuliers, pour faire du bruit. Ils crient, sifflent, tapent sur des assiettes, des marmites ou sur tout ce qu'ils trouvent sur leur chemin. Le but de ce «grand tintamarre»* est de démontrer la vivacité du peuple acadien.

Pendant les défilés du «grand tintamarre», les manifestants portent des vêtements aux couleurs du drapeau de la province du Nouveau-Brunswick, et ils font du bruit avec tous les objets qu'ils trouvent sur leur passage.

LE FESTIVAL DE CAYENNE, LA FÊTE DE LA PEUR

Le festival de la ville de **Cayenne**, la capitale de la Guyane française, est l'un des plus connus dans le monde. Même s'il a beaucoup changé aujourd'hui, son but est resté de divertir les enfants en leur faisant peur. Pendant plusieurs jours, de grands défilés sont organisés dans les rues. L'un des plus importants est le passage des «zombis». Ce sont des personnes habillées avec des chemises de nuit blanches et des ceintures rouges. Ces «zombis» pénètrent dans les maisons ouvertes et crient très fort. Le jour le plus important est le *mardi-gras**. Ce jour-là, le «papadjab»* sort de sa cachette, habillé en rouge avec six cornes noires sur la tête. Il porte aussi une longue barbe tressée. Ces personnages font très peur aux enfants.

ACTIVITÉS

Saviez-vous que, avant de s'entendre sur le nom de Nouveau-Brunswick, d'autres noms avaient été proposés à cette province du Canada ? Ces noms étaient New Ireland ou Pittsylvania, en l'honneur de William Pitt, qui était Premier Ministre britannique à cette époque. Finalement, le nom de Nouveau-Brunswick fut adopté en l'honneur du roi d'Angleterre George III, qui descendait du duché de Brunswick.

1 Que représente la date du 15 août au Nouveau-Brunswick ?

_____

_____

2 Qu'est-ce que le « grand tintamarre » ?

_____

_____

3 Comment se déroule-t-il ?

_____

_____

4 Quel est le but du « grand tintamarre » ?

_____

_____

5 Quel est le principal but du festival de la ville de Cayenne, en Guyane française ?

_____

6 Que font les « zombis » ?

_____

_____

7 Que se passe-t-il le mardi-gras ?

_____

8 Comment est vêtu le « papadjab » ?

_____

Pendant le carnaval de Binche, les Gilles défilent à travers la ville avec des masques et des vêtements particuliers.

LE CARNAVAL DE BINCHE, LA FÊTE DU DÉBUT DU PRINTEMPS

En Belgique, l'une des fêtes francophones les plus populaires est le carnaval de la ville de Binche. Il se déroule au début du printemps, pendant les *Jours Gras**, juste avant le carême des chrétiens. Les préparatifs de la fête commencent généralement six semaines plus tôt, par une série d'activités qui ont des noms bien précis : les «répétitions de batteries»*, les «soumonces en batterie»*, les «soumonces en musique»*, les bals* et les «Trouilles de Nouilles»*. Pendant ces cérémonies, défilent, habillés en costumes traditionnels, des membres de «sociétés» (les organisateurs du carnaval) que sont les *Gilles**, les *Paysans**, les *Pierrots**, les *Arlequins**, les *Princes d'Orient** et les *Marins**. Le mardi gras, qui est la principale journée de ce carnaval, toutes ces «sociétés» défilent ensemble. Cette fête remonterait à au moins cinq siècles et, dans les temps anciens, elle avait pour but de combattre les forces du mal par la danse et les offrandes.

LE « HEIVA », LA FÊTE DES ACROBATES

À Tahiti, une île de la Polynésie française, les membres d'une des plus anciennes sectes religieuses qu'on appelle «arioi» organisent souvent des «heiva», qui sont des grandes fêtes rythmées de spectacles de danses et de chants. Pendant ces spectacles, les «arioi» chantent beaucoup et se moquent d'eux-mêmes, ou de leurs maîtres. Mais la partie la plus importante de ces fêtes est la danse. Les danseurs «arioi» sont des grands acrobates qui exécutent des sauts périlleux et atterrissent brutalement par terre. Parfois, ils luttent au corps à corps. Pendant cette période de fête, chez les «arioi», on ne doit pas faire la guerre. On organise plutôt beaucoup de jeux comme le tir à l'arc, la boxe, le surf, etc. C'est l'occasion pour les champions de chacune de ces disciplines de s'affronter entre eux.

Saviez-vous que Bruxelles, la capitale de la Belgique, est le siège de l'Union européenne ? Bruxelles a été choisie parce qu'elle jouait le rôle de « zone tampon » entre les grandes puissances européennes que sont la France, l'Allemagne et l'Angleterre.

1 À quelle période se déroule le carnaval de Binche, en Belgique ?

_____

2 Quand débutent les préparatifs de ce carnaval ?

_____

3 Quelles sont les activités qui constituent les préparatifs de ce carnaval ?

_____

_____

4 Quelles sont les différentes sociétés qui défilent au cours de ce carnaval ?

_____

_____

5 Comment se déroule une « heiva » à Tahiti ?

_____

_____

6 Comment dansent les « arioi » pendant les « heiva » ?

_____

_____

7 Quel est le principal interdit pendant le « heiva » ?

_____

_____

8 Cherchez l'intrus, parmi les activités prescrites pendant le « heiva » :

Tir à l'arc, boxe, guerre, surf.

Pendant la fête du «boun pimay», les Laotiennes, vêtues de manière très voyante, arrosent les passants d'eau pour les «purifier».

LE « BOUN PIMAY », OU FÊTE DU NOUVEL AN SOLAIRE

Au Laos, on célèbre au mois d'avril la fête du «boun pimay»*, qu'on appelle aussi «fête du cinquième mois». Cette fête coïncide avec les changements de la nature et l'apparition des premières pluies. Pendant cette période, la vie s'arrête dans le pays. On nettoie les maisons et on procède à des lâchers d'oiseaux. On arrose tous les passants avec de l'eau. Les Laotiens disent qu'ils le font pour «purifier» les gens. La tradition veut également que les jeunes filles déchirent les vêtements des hommes, pour montrer qu'on est passé à une nouvelle année.

LE « BARYAM », LES DEUX FÊTES MUSULMANES

En Égypte, on désigne les principales fêtes musulmanes par un nom venu de Turquie. Ce nom est «baryam»*. Il désigne deux fêtes :
– Le «petit baryam»* ou «l'ayd al-fitr»*, qui est la fête de fin du jeûne musulman, appelée aussi «fête de fin du jeûne du ramadan». Elle se déroule pendant le neuvième mois de l'année lunaire des musulmans.
– Le «grand baryam»*, qu'on appelle aussi dans les pays musulmans «l'ayd al-kebir»*, est une fête pendant laquelle chaque musulman qui en a la possibilité doit égorger un mouton.
Pendant ces deux grandes fêtes religieuses, les musulmans se réunissent d'abord pour une grande prière, avant de rentrer chez eux pour manger leur repas en famille.

Saviez-vous que le Laos est le pays des éléphants ? Laos veut dire « le royaume du million d'élé-phants ». Il a été fondé au XVIᵉ siècle par le nommé Fa Ngum. Sa capitale est Ventiane, et il compte 5,6 millions d'habitants.

1   Qu'est-ce que le « boun pimay » au Laos ?

_____

2   Quel autre nom donne-t-on au « boun pimay » ?

_____

3   Pendant quelle saison se déroule-t-il ?

_____

4   Comment se déroule cette fête du « boun pimay » ?

_____

5   En Égypte, quel nom donne-t-on aux deux principales fêtes religieuses ?

_____

6   Dites, à partir des dessins suivants, ce que peuvent représenter chacune de ces deux fêtes :

_____

A

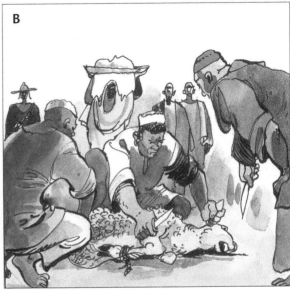
B

4 Les traditions

LE « LAO », UN RITE DE FORMATION

Au Tchad, dans le groupe ethnique appelé les «Sara»*, il existe un rite initiatique pour tous les jeunes, appelé le «lao». Ce rite initiatique est obligatoire. Autour de 15 ans, les jeunes entrent dans la forêt, avec leurs formateurs. Ils n'en ressortent que trois ans plus tard, après avoir appris la pêche, la chasse, l'agriculture, la fabrication des médicaments, etc. Pendant ces trois ans, ils ne doivent avoir aucun contact avec une femme, même avec leur mère. Après son initiation, le jeune reçoit un nouveau nom qui dira aux gens dans quel domaine il a été bien noté. Par exemple, s'il s'appelle «Mbaïlao»*, cela veut dire qu'il peut être un bon chef. S'il s'appelle «Laodalé»*, cela veut dire qu'il est un bon joueur de tam-tam. Tout jeune qui n'a pas reçu cette initiation, chez les «Sara», ne sera jamais considéré comme membre de cette communauté.

LE « DJORO », POUR DEVENIR UN NOUVEL HOMME

Au Burkina Faso, dans le groupe ethnique appelé les «Lobi»*, tous les jeunes qui ont entre 7 et 15 ans doivent subir un rite initiatique qui s'appelle le «djoro»*. La cérémonie, qui dure plusieurs mois, se déroule tous les 7 ans. Le premier jour de l'initiation, un homme tape très fortement sur un tambour sacré. C'est de cette façon qu'on annonce le début de l'initiation. Les enfants entrent dans la brousse en empruntant de dos un chemin qui est celui que leurs ancêtres suivaient pour aller traverser un fleuve voisin de leur village. C'est ce fleuve qui est considéré comme le dieu du village. Dans ce fleuve, ils subissent ce qu'on appelle le «rite de l'eau»*, qui est le passage, pour un jeune «Lobi», de la mort à la renaissance. Ensuite, l'initié est censé oublier sa vie passée. On lui coupe les cheveux et on retire ses vêtements, qu'on enterre. Désormais, le jeune «Lobi» est un nouvel homme.

De jeunes « Lobi » en pleine initiation. Après plusieurs cérémonies dans la brousse, ces jeunes vont devenir, selon les traditions de leur ethnie, de « nouveaux hommes ».

1 Dans quel pays et quel groupe ethnique se déroule le « lao » ?

_____

2 Décrivez comment se déroule le « lao » :

_____

_____

3 Mbaïlao est un jeune Tchadien qui vient de suivre le rite « lao ». En lui donnant ce nom de Mbaïlao, qu'est-ce que ses maîtres ont voulu signifier ?

_____

4 Laodalé est également un jeune Tchadien qui vient de suivre le rite des « Sara ». En lui donnant ce nom de Laodalé, qu'est-ce que ses maîtres ont voulu signifier ?

_____

Saviez-vous que « Burkina Faso » veut dire « pays des hommes intègres » ? Avant 1983, le pays s'appelait « Haute-Volta », qui désignait la partie haute du fleuve Volta. La capitale du pays est Ouagadougou, et il compte 13,2 millions d'habitants.

5 Dans quel pays et quel groupe ethnique les jeunes doivent-ils suivre le « djoro » ?

_____

6 Décrivez comment se déroule le « djoro » :

_____

_____

7 Quelle est la place de l'eau dans le « djoro » ?

_____

_____

8 Quelle est censée être la conséquence du « djoro » sur les jeunes qui le pratiquent ?

_____

_____

LE GRAND MARIAGE, EN PLUSIEURS ÉTAPES

Aux Comores, les mariages se déroulent le plus souvent en plusieurs étapes. La première étape est appelée le « madjilisse »*, qui est une cérémonie pendant laquelle on annonce sur une place publique les dates du mariage. Immédiatement après, suit le « djailco la mabélé »* : les femmes du village se mettent à crier dans les rues pour manifester leur joie. Quelques jours plus tard, a lieu une cérémonie qu'on appelle le « djéléo »*.

Pendant cette cérémonie, le futur marié distribue de l'argent, du riz et de la viande de bœuf à tout le village. Des fêtes sont aussi organisées pendant toute la semaine du mariage. La cérémonie la plus importante du mariage comorien est appelée « outriya moina dahoni »*, ce qui veut dire « amener le marié à rejoindre sa future femme ». C'est à ce moment que le marié va rejoindre son épouse dans ce qui sera désormais leur maison. Ce jour-là, et pendant toute la soirée, les invités danseront le « oukoumbi »*, une danse qui marque la fin du mariage.

Avant les différentes cérémonies du grand mariage comorien, la femme est habillée de pagne et maquillée. Elle doit être la plus belle pendant toutes les soirées.

PLANTER UN BANANIER POUR ANNONCER LA NAISSANCE D'UN ENFANT

À Madagascar, la tradition veut que quand un enfant naît dans une famille, le père plante un bananier ou un arbre quelconque dans sa cour ou dans son champ pour immortaliser cette date. C'est au pied de cet arbre qu'il enterre le placenta de l'enfant. C'est pourquoi, chez les Malgaches, l'enfant est très attaché à la terre qui l'a vu naître. Là-bas, on utilise beaucoup l'expression « toerana nilevena ny tavony » pour dire à propos de quelqu'un : « Voici le lieu où son placenta a été enterré ».

Après ce rite, les parents de l'enfant commencent à préparer une cérémonie très importante, qu'on appelle le « famorana », ou circoncision. Les Malgaches considèrent que cette circoncision permettra plus tard à l'enfant d'avoir d'autres enfants, donc de perpétuer la tribu.

Saviez-vous que les Comores sont un archipel ? Cela veut dire que ce pays est constitué de plusieurs îles. Sa capitale est Moroni, et il est peuplé de 600 000 habitants.

1 Décrivez, à partir des dessins ci-dessous, les différentes étapes d'un mariage comorien.

2 Que fait un Malgache quand son épouse donne naissance à un nouveau bébé ?

_____

_____

3 Quelle est censée être la conséquence sur le bébé de l'acte posé par le papa malgache ?

_____

_____

4 Comment appelle-t-on la cérémonie de circoncision chez les Malgaches et quelle est censée être sa conséquence sur le jeune Malgache ?

_____

_____

Lors des cérémonies de mariage chez les Berbères du Maroc, les parents de la mariée sont tenus de conduire leur fille chez le marié. C'est chez son mari que la femme recevra des bijoux, que les Berbères appellent le «mahr».

LE « MAHR », POUR FAIRE UN BON MARIAGE

Au Maroc, dans un groupe ethnique qu'on appelle les Berbères*, le marié doit, pendant les cérémonies de mariage, remettre à la famille de la mariée ce qu'on appelle là-bas le « mahr »*, qui n'est autre qu'une *dot**. La cérémonie de remise de la dot se déroule pendant toute une journée. La mariée, accompagnée de sa famille, vient chez le marié. On exécute alors une danse à laquelle ne participent que des femmes. Pendant ce temps, la mariée est assise sur un *trône**, et ne se lève que pour aller se changer. C'est pendant cette danse que la famille du marié remet le « mahr » à la mariée. Il s'agit le plus souvent de bijoux. Ces bijoux sont généralement en argent, car l'argent est considéré chez les Berbères comme un signe de chance et de réussite.

ORGANISER DES OBSÈQUES, UN GRAND RITUEL

Au Cambodge, les obsèques des personnes décédées se ressemblent généralement. Pour annoncer le décès, on sonne le *gong** et on suspend une toile devant la maison du défunt. Quand les habitants du quartier ou du village aperçoivent cette toile, cela veut dire pour eux que l'heure est venue d'apporter du riz, des bougies, des *baguettes d'encens** ou même de l'argent à la famille en deuil. Pendant les obsèques, on allume une lampe qui brûle durant le temps de l'exposition du corps. Le feu qui brûle dans cette lampe est celui qui servira à *incinérer** le corps. Les cendres peuvent être gardées dans un pot de terre cuite ou jetées dans une rivière. Les proches de la personne décédée se rasent la tête et s'habillent en blanc pendant quelques mois.

1 Décrivez, à partir des dessins ci-dessous, la cérémonie de remise du « mahr » chez les Berbères :

_____

2 Comment annonce-t-on le décès d'une personne au Cambodge ?

_____

_____

3 Que font les voisins du défunt quand le décès leur est annoncé ?

_____

_____

4 Après l'incinération du corps du défunt, que fait-on des cendres ?

_____

_____

Les transports

LES « ZÉMIDJANS », DES MOTOS-TAXIS

Au Bénin, le moyen de transport le plus utilisé en ville est le «zémidjan»*, ou moto-taxi. «Zémidjan» veut dire en langue locale «transporte-moi». C'est au milieu des années 1980 que ce mode de transport s'est développé dans ce pays. Pendant cette période, beaucoup d'entreprises traversaient des difficultés économiques. Elles ont donc licencié une bonne partie de leur personnel et beaucoup, parmi ces personnes licenciées, ont acheté des motos pour transporter les gens. Comment emprunte-t-on un «zémidjan» ? Il suffit juste de reconnaître une moto conduite par un chauffeur vêtu d'une chemise jaune. Vous la stoppez, et lui indiquez votre destination. L'avantage du «zémidjan» est qu'il est peu cher et peut vous déposer jusqu'à la porte de votre maison. Son inconvénient est qu'il est régulièrement victime d'accidents de la circulation.

Les conducteurs de «zémidjans» dans les rues de Cotonou, la capitale économique du Bénin, sont vêtus de jaune, pour être reconnaissables par les clients. Mais cela ne les empêche pas de causer beaucoup d'embouteillages dans la ville.

LES « NDIAGA NDIAYE », DES TAXIS-BROUSSE

Au Sénégal, les déplacements d'une ville à l'autre se font le plus souvent dans des grands *cars** appelés «Ndiaga Ndiaye»*. Ces grands cars sont généralement fabriqués par la marque allemande «Mercedes». Ndiaga Ndiaye est le nom d'un commerçant sénégalais qui avait acheté de nombreux cars de ce type pour se consacrer au transport entre les villes. Bien qu'aujourd'hui il ne soit plus le seul à disposer de ces cars dans tout le pays, les populations les ont surnommés «Ndiaga Ndiaye». Le «Ndiaga Ndiaye» transporte généralement une trentaine de personnes, assises dans des conditions très inconfortables. Mais il a l'avantage de pratiquer des tarifs très bas et d'aller dans les zones les plus reculées du pays.

ACTIVITÉS

Saviez-vous que le Bénin était appelé le « Quartier latin » d'Afrique ? Après les indépendances des pays africains au cours des années 1960, le Bénin a produit de nombreux intellectuels. Sa capitale politique est Porto-Novo, sa capitale économique Cotonou, et sa population compte 7 millions d'habitants.

1 Que veut dire « zémidjan », en langue locale béninoise ?

_____

_____

2 Comment emprunte-t-on un « zémidjan » ?

_____

_____

_____

3 Donnez deux avantages et un inconvénient du « zémidjan » :

_____

_____

_____

4 Quelle est l'origine du nom « Ndiaga Ndiaye » ?

_____

_____

_____

5 Environ combien de passagers sont transportés par un « Ndiaga Ndiaye » ?

_____

6 Citez un inconvénient et un avantage du « Ndiaga Ndiaye » :

_____

_____

LES « CYCLO-POUSSE », DES VÉLO-TAXIS

Au Vietnam, les populations adorent se déplacer en «cyclo-pousse»*. Le «cyclo-pousse» est un vélo à trois roues où le conducteur pédale, assis à l'arrière du passager. Pour la plupart des touristes qui visitent le Vietnam, se promener en «cyclo-pousse» est considéré comme un très grand moment. Surtout quand ce «cyclo-pousse» comporte un *parasol**. D'ailleurs, des délégations de ministres et même de chefs d'État en visite au Vietnam ont souvent été transportées par ce moyen. Il a l'avantage d'être très adapté aux principales villes vietnamiennes comme Hanoi, Hô Chi Minh-ville ou Hue, qui sont des villes au relief plat.

LES « HEUA WAI », DES BATEAUX RAPIDES

Au Laos, les populations se déplacent beaucoup dans de petits bateaux rapides qu'on appelle là-bas «heua wai»*. Ces bateaux, qui peuvent transporter jusqu'à une centaine de personnes, s'arrêtent comme des bus, village après village. Des passagers descendent, et d'autres montent. Pour les personnes pressées, ces bateaux peuvent être loués ou réservés et, dans ce cas, on les appelle «heua duan»*, ce qui veut dire «bateaux express». Comme les routes du pays sont en très mauvais état, les Laotiens préfèrent utiliser ce moyen de transport qui permet de relier les principales villes à travers des cours d'eau comme le *Mékong**, le *Nam Ou**, le *Khan Nam**, le *Nam Tha**, le *Nam Ngum** ou le *Se Don**. Pour les distances les plus courtes, on peut également emprunter des bateaux-taxis.

Sans les petits bateaux qu'on rencontre sur les fleuves en Asie, il aurait été impossible de circuler d'une ville à une autre. Ils jouent le rôle de bus, de taxi, de car et même de train…

A C T I V I T É S

1   À partir des éléments du texte, dessinez un cyclo-pousse et décrivez son fonctionnement :

_____

_____

_____

2   Quel est l'avantage du « cyclo-pousse » pour un pays comme le Vietnam ?

_____

Saviez-vous que le fleuve Mékong serpente à travers la majorité des pays d'Asie du Sud-Est ? Long de 4 200 kilomètres, il prend sa source dans les plateaux du Tibet. C'est autour de ce fleuve que se concentre la production de riz, qui est le principal aliment des populations de cette partie du monde.

3   Que désigne le « heua wai » ?

_____

4   Comment fonctionne le système de transport en « heua wai » ?

_____

LE « WORO-WORO », LE TAXI SANS COMPTEUR

En Côte d'Ivoire, notamment à Abidjan, la capitale du pays, les habitants qui n'ont pas beaucoup d'argent empruntent les « woro-woro »*. Pendant les années 1970, ce pays, qui était l'un des plus développés d'Afrique, avait institué le système de *taxis urbains avec compteur**. Comme beaucoup de pauvres n'arrivaient pas à emprunter ces taxis, il s'est développé un réseau de taxis clandestins qu'on a baptisés « woro-woro ». Ce mot vient d'une langue du Nord de ce pays, qu'on appelle le « dioula »*. Il veut dire « trente francs-trente francs ». Comme la course de taxi avec compteur revenait au minimum à 100 francs, le « woro-woro », qui ne revenait qu'à trente francs, était plus avantageux pour les plus pauvres.

LE CHAMEAU, LE ROI DE LA CARAVANE

Au Niger, les *Touaregs**, qui sont les habitants du Nord du pays, se déplacent sur le dos des *dromadaires** qu'on appelle là-bas « chameaux »*. Dans cette partie du pays qui est désertique et où les distances sont très longues, la vie aurait été impossible sans ce grand animal. Les historiens disent d'ailleurs que c'est son introduction dans le pays, vers le cinquième siècle, qui a permis aux gens de venir l'habiter.

Sur leur dos, les chameaux transportent des personnes et des marchandises pour faire le tour des marchés de la région et, ainsi, développer le commerce. Un des spectacles les plus admirés des touristes qui se rendent au Niger consiste à voir de longues caravanes de chameaux parcourir le pays !

Une caravane de dromadaires ou de « chameaux » dans le désert du Sahel, en Afrique du Nord. C'est le moyen de transport le plus approprié dans cette partie de l'Afrique.

1   Quelle est l'origine du nom « woro-woro » ?

_____

_____

_____

2   Comment se sont développés les « woro-woro » ?

_____

_____

_____

3   À quel autre mode de transport oppose-t-on les « woro-woro » ?

_____

Saviez-vous que le Niger désigne aussi un fleuve ? Dans cette région désertique, ce fleuve est très important pour les populations. Le mot « Niger » vient du mot latin « niger » qui signifie « noir ».

4   Pourquoi le chameau est-il indispensable au Niger ?

_____

_____

_____

5   Selon les historiens, quand est apparu cet animal dans ce pays ?

_____

6   Comment se déplacent généralement les chameaux ?

_____

_____

_____

_____

6 Les noms

LE NOM EN FONCTION DU JOUR DE NAISSANCE

En Côte d'Ivoire, dans un groupe ethnique qu'on appelle les « Akan »* (ce groupe ethnique va jusqu'à certains pays voisins comme le Ghana et le Togo), les noms sont attribués en fonction du jour de naissance.

– Un garçon qui naît le lundi s'appelle Kouassi, et une fille s'appelle Akissi.
– Un garçon qui naît le mardi s'appelle Kouadio, et une fille Adjoua.
– Un garçon qui naît le mercredi s'appelle Konan, et une fille Amlan.
– Un garçon qui naît le jeudi s'appelle Kouakou, et une fille Ahou.
– Un garçon qui naît le vendredi s'appelle Yao, et une fille Aya.
– Un garçon qui naît le samedi s'appelle Koffi, et une fille Affoué.
– Un garçon qui naît le dimanche s'appelle Kouamé, et une fille Amouin.

UN NOM DOUBLE POUR DÉSIGNER SON « SUCCESSEUR »

Au Cameroun, dans les régions du Sud du pays, les habitants ont généralement deux noms : celui de leur père et celui d'un proche, dont le nouveau-né à qui on attribue le nom est appelé « l'homonyme »*. Dans un groupe ethnique plus précis, qu'on appelle les « Béti »*, le père donne à l'un de ses enfants deux fois le même nom : la première fois comme le veut la tradition, et la deuxième fois pour signifier que ce fils est, parmi ses enfants, son homonyme. On va donc par exemple trouver, parmi les enfants de M. Oyono, que l'un d'entre eux s'appelle Oyono Oyono. Ses frères l'appelleront le plus souvent « petit papa »*, ce qui signifie qu'à la mort de son père, il pourrait devenir le chef de famille.

Le président du Cameroun, qu'on appelle généralement Paul Biya, s'appelle véritablement Paul Biya bi Mvondo, ce qui veut dire « Paul Biya, le fils de Mvondo ».

1 Quels sont les pays où on trouve le groupe ethnique appelé les « Akan » ?

_____

2 À partir du nom de Kofi Annan, pouvez-vous déterminer le jour de naissance du Secrétaire général de l'Organisation des Nations Unies ?

_____

3 À partir du nom d'Henri Konan Bédié, pouvez-vous déterminer le jour de naissance de cet ancien président de Côte d'Ivoire ?

_____

4 À partir du nom de Kwame Nkrumah, pouvez-vous déterminer le jour de naissance de cet ancien président du Ghana ?

_____

5 Au sud du Cameroun, comment attribue-t-on les noms aux enfants ?

_____

_____

_____

6 Pourquoi certains enfants se retrouvent-ils avec deux fois le même nom ?

_____

_____

7 Lequel des enfants de M. Abanda, dont les noms suivent, pourrait être amené à lui succéder comme chef de famille en cas de décès ?

☐ Abanda Oyono   ☐ Abanda Abanda   ☐ Abanda Messi

8 À partir du nom du président du Cameroun, Paul Biya bi MVondo, trouvez le nom de son père :

_____

DES NOMS EN FONCTION DES ETHNIES

Au Sénégal, dans la plupart des cas, on peut déterminer l'ethnie d'un individu à partir de son nom. Ainsi, des noms comme Ndour (le musicien Youssou Ndour), comme Niasse ou Wade (l'ancien Premier Ministre Moustapha Niasse ou le Président Abdoulaye Wade) sont de l'ethnie *wolof**. Senghor (l'ancien président Léopold Sédar Senghor) est un nom *sérère**. Diao, Gadio, Kane ou Lô (le musicien Ismaël Lô) sont des noms *peuls**. Et des noms comme Bathily, Camara, Cissé, Cissoko, Coulibaly, Diarra ou Diawara sont des noms *mandingues**.

Au Mali, tout près du Sénégal, où on trouve aussi beaucoup de Mandingues, on peut faire, à l'intérieur de cette ethnie, d'autres distinctions : les noms comme Kouyaté, Diabaté et même Keïta sont généralement donnés aux descendants de *griots**, et des noms comme Coulibaly seront le plus souvent donnés à des descendants de la *noblesse traditionnelle**.

Abdoulaye Wade, comme la plupart des Sénégalais qui portent le nom de Wade, appartient à l'ethnie wolof.

RIEN QUE DES NOMS AFRICAINS

En 1971, l'ancien président du Zaïre (redevenu en 1997 République démocratique du Congo) a demandé aux habitants de son pays de changer tous leurs noms occidentaux ou chrétiens en noms locaux. Ainsi, lui qui s'appelait Joseph Désiré Mobutu est devenu Mobutu Sese Seko. À la chute de ce président, en 1997, les Congolais qui le désiraient ont repris les noms qu'ils portaient avant ce changement. Le phénomène de changement de nom était appelé la « zaïrianisation »*. Selon Mobutu Sese Seko, il s'agissait de retourner aux sources de l'Afrique. La monnaie du pays a été également baptisée « zaïre »* et les entreprises privées ont été rachetées par l'État.

1 À partir du nom Youssou N'dour, dites de quelle ethnie est originaire ce musicien sénégalais.

_____

2 À partir du nom Abdoulaye Wade, dites de quelle ethnie est originaire le président sénégalais.

_____

3 À partir du nom Léopold Sédar Senghor, dites de quelle ethnie est originaire cet ancien président du Sénégal.

_____

4 À partir du nom Ismaël Lô, dites de quelle ethnie est originaire ce musicien sénégalais.

_____

5 Citez trois noms donnés aux descendants de griots au Mali :

_____

_____

_____

6 En quelle année le président du Zaïre a-t-il demandé aux habitants du pays qu'il dirigeait de changer leurs noms occidentaux ou chrétiens en noms africains ?

_____

7 Quel est le nom que ce président s'est lui-même attribué ?

_____

_____

8 Comment appelait-on ce phénomène de changement de noms et de quelles autres actions était-il accompagné ?

_____

_____

_____

LE PRÉNOM, CONTRE LE MAUVAIS SORT

À Madagascar, les prénoms servent à vaincre le *mauvais sort**. C'est pourquoi les parents n'aiment pas donner à leurs enfants des prénoms qui traduisent la réussite ou le bonheur, car ils pensent que les gens seront jaloux et vont leur jeter des *mauvais fétiches**. Il préfèrent donc des prénoms d'animaux comme Amboa (se lit «ambou»), qui veut dire «chien» ; Piso (se lit «pisou»), qui veut dire «chat» ou «ralambo» (se lit «ralambou») qui veut dire «cochon». Certains parents vont même jusqu'à donner des prénoms comme «firinga» (se lit «firing», qui veut dire «déchets») ; ou, quand l'enfant est très malade et qu'on veut lui épargner tout mauvais sort, le prénom de «rainitay» (se lit «raïnitaï»), qui veut dire «le père des excréments».

Quant aux noms malgaches, ils sont très longs parce qu'il s'agit de noms composés, qui peuvent parfois résumer l'histoire de la famille ou de la naissance de l'enfant. Par exemple, un journaliste célèbre, aujourd'hui décédé, s'appelait Andriamirado. Le chef de l'État s'appelle Ravalomanana. Aux enfants, on donne le plus souvent des noms provenant de la famille de leur mère. C'est pour cela qu'on dit que la société malgache est *matrilinéaire**.

LE « HO », LE « TÊN DÊN » ET LE « TÊN »

Au Vietnam, les noms des individus sont le plus souvent constitués de trois mots. Par exemple Tran Viet Hung ou Pham Quang Cuong.

Le premier élément de ce nom, qu'on appelle aussi le «ho»*, est le nom de famille. Ce premier élément provient le plus souvent du père, mais il peut également venir des deux parents. Dans ce cas, assez rare, le nom sera constitué de quatre mots. Tran et Pham sont des «ho».

Le deuxième élément de ce nom est appelé le «tên dêm»*, ce qui veut dire en français «nom intercalaire». C'est celui qui désigne la lignée à laquelle on appartient. Viet et Cuang sont des «tên dên»

Le troisième élément, qu'on appelle le «tên», correspond au prénom. Hung et Cuong sont des «tên»*.

Le «ho» le plus répandu au Vietnam est «Nguyen». Cela est dû au fait que les derniers empereurs du Vietnam avaient pour «ho» le nom Nguyen.

Sur cette photo, le dernier empereur du Vietnam, nommé Bao-Daï. Descendant des rois Nguyen, il a régné de 1925 à 1955.

1   Citez quelques prénoms que les parents donnent à leurs enfants à Madagascar.

_____

_____

_____

2   Pourquoi les noms malgaches sont-ils aussi longs ?

_____

_____

3   D'où proviennent les noms qu'on attribue aux enfants à Madagascar ?

_____

_____

4   Citez deux noms vietnamiens :

_____

_____

5   Dans ces noms, dites ce qui représente le « ho » :

_____

6   Dans ces noms, dites ce qui représente le « tên dên » :

_____

7   Dans ces noms, dites ce qui représente le « tên » :

_____

8   Quel est le « ho » le plus répandu au Vietnam et pourquoi ?

_____

_____

_____

7 L'habitat

LA « GRANDE CASE », LA MAISON DU CLAN

En Nouvelle-Calédonie, chez les *Kanaks**, chaque grande famille, ou *clan**, a sa « grande case ». Cette maison, posée sur une butte ou tout autre monticule, a une forme conique. Après sa construction, elle est placée sur un grand poteau central, qui provient d'un arbre. Cette « grande case » marque la séparation entre la partie qui est habitée par les Kanaks et la partie où ils pratiquent leurs rites magiques. Derrière, on peut voir une large allée encadrée de cocotiers. C'est le lieu où les anciens du village se retirent quand ils veulent discuter entre eux, ou avec leurs *ancêtres** qui sont déjà morts.

La grande case canaque est une construction de forme conique, très haute, soutenue par un grand poteau central, venu du fût d'un grand arbre. C'est dans cette case que se règlent tous les problèmes de la grande famille, aussi appelée « clan ».

LE « BANGA », LA MAISON DE L'ADOLESCENT

À Mayotte, un territoire français situé dans l'océan Indien, les jeunes, entre douze et quinze ans, vont vivre dans des maisons appelées « bangas »*. Ils le font parce que les maisons mahoraises sont très petites, et les parents ne souhaitent pas laisser les frères et sœurs vivre dans ce petit espace. Ces « bangas » sont construits par les jeunes eux-mêmes. Le « banga » est construit en *bambou**, auquel on ajoute de la terre mélangée à des herbes. Le toit est fait en *feuilles de coco** tressées. Partir habiter dans un « banga » marque une période importante dans la vie d'un jeune, car c'est dans cette maison, loin du regard de ses parents, qu'il reçoit ses premières copines et découvre ainsi la sexualité. Mais ces jeunes ne sont pas chassés de la maison de leurs parents, puisqu'ils continuent d'y aller pour prendre leurs repas.

A C T I V I T É S

1 Nommez les éléments qui constituent la «grande case» kanake :

1. _____   3. _____

2. _____   4. _____

2 Que représente cette «grande case» chez les Kanaks ?

_____

_____

3 Pourquoi les habitants de Mayotte construisent-ils des «bangas» ?

_____

_____

4 Comment construit-on un «banga» ?

_____

_____

LA HUTTE, LA MAISON DES PYGMÉES

En République centrafricaine, les Pygmées vivent dans des maisons appelées «huttes»*. Ce sont en fait de petites *cases** de forme ronde, faites en bois souple ou en bambou et couvertes de feuilles d'une plante qu'on trouve beaucoup dans les forêts de cette région, la *marantacée**. Chez les Pygmées, c'est la femme qui construit la hutte, le mari et les enfants mâles ne se contentant que d'aller tous les jours à la chasse. À l'intérieur de la maison, on dispose quelques petits meubles : un lit, des sièges et un tapis en feuilles tissées, qu'on appelle une *claie**, sur lequel on sèche les fruits. La hutte est habitée par toute la famille : le mari, la femme et les enfants. Dès que les animaux commencent à se faire rares dans la partie de la forêt où un Pygmée a construit sa hutte, il déménage vers un autre lieu, en abandonnant son logement et ses meubles.

LA MAISON EN TOIT DE PAILLE, UNE SPÉCIALITÉ MOSSI

Au Burkina Faso, une ethnie appelée les « Mossi »* aime construire ses maisons avec un toit en *paille**. Il s'agit de diverses pailles tressées par de grands spécialistes et posées sur des maisons de forme ronde. Ces pailles ne laissent pas passer la moindre goutte de pluie. Généralement, le Mossi entoure l'espace qu'il habite avec une clôture. À l'intérieur de cette clôture, il construit une case principale qu'il habite, une ou deux autres pour ses femmes, et un *grenier** dans lequel il garde les produits qu'il va consommer. Autour de cette clôture, il cultive des *champs**. Le Mossi construit lui-même ses maisons, généralement pendant la saison de pluies, car il peut alors disposer de beaucoup d'eau pour les travaux.

Les maisons de l'ethnie mossi, au Burkina Faso, sont des petites cases aussi appelées «huttes». La case centrale, qui est celle du chef de famille, est entourée de celles de ses épouses.

A C T I V I T É S

1 Décrivez une hutte pygmée :

_____

_____

_____

2 Qui construit la hutte chez les Pygmées ?

_____

3 Quels sont les principaux meubles dont dispose une famille pygmée ?

_____

_____

4 Que fait le Pygmée quand il change de lieu d'habitation dans la forêt ?

_____

_____

5 Décrivez l'habitat des Mossi :

_____

_____

6 À quoi sert un grenier chez les Mossi ?

_____

_____

7 Que trouve-t-on à l'intérieur de la clôture des Mossi ?

_____

8 Pendant quelle saison les Mossi aiment-ils construire leurs maisons ? Et pourquoi ?

_____

_____

LA MAISON SUR PILOTIS,
UNE SPÉCIALITÉ CAMBODGIENNE

Au Cambodge, les populations construisent leurs maisons sur *pilotis**. Il s'agit de maisons posées sur de grands poteaux en bois, pour éviter que l'eau ne vienne les inonder pendant les fortes pluies. Ces maisons peuvent être construites sur la terre ferme, ou sur des bateaux flottant sur un cours d'eau. Les murs peuvent être en *planches** ou en *paille de riz**, et la toiture en *tôle** ou en *chaume** et bambou. Dans certaines régions, on trouve des maisons qui sont à plus de six mètres de hauteur. Selon les Cambodgiens, les maisons sur pilotis ont deux autres avantages : pendant la saison sèche, l'air circule plus facilement à l'intérieur et, surtout, les gros serpents qui rôdent ne peuvent pas y rentrer facilement.

LA « CABANE À SUCRE »,
POUR BOIRE DU SIROP D'ÉRABLE

Au Québec, les populations construisent souvent, pendant le mois d'avril, des maisons en bois dans la forêt, qu'on appelle aussi « cabanes à sucre »*. Ils s'y retirent entre amis pour faire ce qu'ils appellent là-bas une « érablière »*.

Pendant le mois d'avril, qui marque le début du printemps, les érables, qui sont des arbres de la forêt canadienne, produisent beaucoup de sève, permettant de fabriquer un sirop de sucre très consommé par les Québécois. C'est la fabrication, en pleine forêt, de ce sirop de sucre qui s'appelle une « érablière ». La « cabane à sucre » est un bâtiment assez rustique au milieu des arbres. Son intérieur comprend le plus souvent deux salles : une première dans laquelle on chauffe la sève d'érable pour la transformer en sirop et une autre, plus grande, dans laquelle les amis se réunissent pour consommer ce sirop accompagné de plats canadiens.

La « cabane à sucre » est principalement habitée par les familles pendant la « période des sucres ». Cette période va du 1er mars au 1er mai de l'année.

1 Nommez les éléments constitutifs d'une maison sur pilotis :

1. _____   4. _____

2. _____   5. _____

3. _____

2 Quel est le principal avantage des maisons sur pilotis ?

_____

Saviez-vous que « Québec » est un mot d'origine indienne ? Il désignait un resserrement du fleuve Saint-Laurent. Le mot « Canada » vient aussi des Indiens, qui utilisaient le mot « kanata » pour désigner leurs villages lors de l'arrivée des Européens.

3 En quelle matière est construite une « cabane à sucre » ?

_____

4 Comment se déroule une « érablière » ?

_____

_____

5 Décrivez une « cabane à sucre » :

_____

_____

8 Les communautés

LES CAJUNS, DES FRANCOPHONES DE LOUISIANE

En Louisiane, et dans certains autres États du Sud des États-Unis, on trouve des populations parlant le français, qu'on appelle des *Cajuns**. Les Cajuns étaient à l'origine des Français partis en Amérique entre le XVe et le XVIe siècle. Ils se sont installés au Canada, dans la province qu'on appelle aujourd'hui le Nouveau-Brunswick. En 1755, ils ont été chassés par les Anglais. Ils ont alors embarqué dans quarante-six bateaux, et quitté le Canada, pour le Sud des États-Unis. Sur les 13 000 personnes qui ont embarqué dans ces bateaux, entre 7000 et 8000 sont mortes pendant le voyage. Ce voyage, qui est resté un moment très important dans l'histoire des Cajuns, est appelé le «Grand Dérangement»*. Ceux des descendants de ces immigrés français qui sont restés au Canada sont appelés des *Acadiens**.

Le «Grand Dérangement» représente une période douloureuse pour les Cajuns. De nombreuses fresques représentant cette période ont été réalisées par des grands peintres.

LES WALLONS, DES BELGES FRANCOPHONES

En Belgique, on distingue deux principales communautés : une qui parle le français et une autre qui parle le néerlandais. La communauté francophone, qui représente environ 45 % de la population, est composée de «Wallons» et de «Bruxellois», et la communauté néerlandophone de «Flamands». Selon les historiens, une petite partie des Wallons serait constituée de Français venus de France, vers la fin du XVIIe siècle. Il s'agissait de protestants, qui quittaient la France parce que le roi de l'époque, Louis XIV, avait décidé de supprimer l'*Édit de Nantes**, un traité par lequel le roi Henri IV avait mis fin, au XVIe siècle, à une terrible guerre entre les catholiques et les protestants.

1   Qui sont les Cajuns ?

_____

_____

2   Vers quelle période la plupart des Cajuns ont-ils quitté la France pour l'Amérique ?

_____

3   Décrivez le « Grand Dérangement » :

_____

_____

_____

4   Qui sont les Acadiens ?

_____

_____

5   En Belgique, que désigne l'appellation de « Wallons » et de « Bruxellois » ?

_____

_____

6   En Belgique, que désigne l'appellation de « Flamands » ?

_____

7   D'où serait originaire une petite partie des Wallons ?

_____

_____

8   Pourquoi ces personnes ont-elles quitté leur pays d'origine ?

_____

Les Bantous sont considérés comme des descendants des Pygmées. Car comme eux, ils sont parfois trapus et leur visage a des traits ronds.

EN AFRIQUE NOIRE, ON TROUVE DES BANTOUS ET DES SAHÉLIENS

L'Afrique noire compte deux grands groupes sociologiques : les *Bantous** et les *Sahéliens**. On trouve les Bantous depuis l'Afrique centrale (Cameroun, Gabon, Congo, Centrafrique…) jusqu'en Afrique du Sud. Quant aux Sahéliens, on les rencontre surtout en Afrique de l'Ouest, dans des pays comme le Mali, la Guinée, le Burkina Faso ou le Sénégal. Les Bantous sont considérés comme des descendants des *Pygmées**. Ils sont généralement *trapus** et costauds, contrairement aux Sahéliens qui sont minces et élancés. Parmi les Bantous, on trouve des ethnies comme les *Béti** du Cameroun, les *Fangs** du Gabon, les *Bakongos** et les *Bangalas** du Congo et de la République démocratique du Congo. Chez les Sahéliens, on trouve entre autres les *Peuls** de Guinée, les *Bambaras** du Mali, les *Dioulas** de Côte d'Ivoire…

LES KANAKS, DES POPULATIONS D'ORIGINE MÉLANÉSIENNE

En Nouvelle-Calédonie, on trouve deux types de populations : les *Kanaks**, qui sont des Mélanésiens à la peau noire, et les descendants des Européens qui se sont installés dans ce territoire français, que certains appellent « Caldoches »*. Les Kanaks sont les premiers habitants de ce territoire. Ils sont très nombreux dans la partie Nord de l'île (Uvéa, Lifu, Maré) et vivent en communauté. Leurs coutumes les amènent à considérer la terre comme un bien appartenant à toute la communauté. C'est pourquoi ils appellent cette terre le « sang des morts ». Personne ne doit se l'approprier individuellement, sinon il risque d'être sanctionné par les ancêtres défunts.

1   Qui sont les Bantous et les Sahéliens, en Afrique noire ?

_____

2   Physiquement, qu'est-ce qui différencie les Bantous des Sahéliens ?

_____

_____

3   Citez deux ethnies bantoues et deux ethnies sahéliennes :

_____

_____

Saviez-vous que la Nouvelle-Calédonie est aussi appelé le « Caillou » ? Elle est ainsi appelée parce qu'elle est entourée par une barrière de corail. Sa capitale est Nouméa, et sa population compte 164 000 habitants.

4   Qui appelle-t-on Kanaks en Nouvelle-Calédonie ?

_____

_____

5   Qui sont les Caldoches en Nouvelle-Calédonie ?

_____

_____

6   Dans quelle partie du territoire trouve-t-on principalement les Kanaks ?

_____

7   Que représente la terre pour les Kanaks ?

_____

8   Que risquent, chez les Kanaks, ceux qui voudraient s'approprier les terres ?

_____

On trouve les Berbères dans au moins six pays : le Maroc, l'Algérie, la Mauritanie, le Niger, le Mali, le Burkina Faso… Quel que soit le pays où ils sont installés, ils ont gardé entre eux des liens profonds, et se retrouvent souvent dans de grandes fêtes berbères.

LES BERBÈRES, DANS LES PAYS D'AFRIQUE DU NORD

En Afrique du Nord, dans des pays francophones comme le Maroc, l'Algérie, la Mauritanie, le Niger, le Mali ou le Burkina Faso, on rencontre un groupe ethnique vieux de plus de 5 000 ans, qu'on appelle les *Berbères**. Le nom « berbère » vient de « barbare », c'est pourquoi ces populations préfèrent se faire appeler des « Imazighen »*, ce qui veut dire « hommes nobles ». On compte plusieurs ethnies berbères. Les plus connues sont les *Kabyles** et les *Chaouias** en Algérie, les *Rifains** au Maroc ou les *Touaregs** en Algérie, au Niger et au Mali. La langue berbère est appelée le « tamazigh »* et tout le vaste territoire d'Afrique du Nord qu'ils occupent est appelé le « Tamazgha »*.

LES KHMERS, LES HABITANTS DU CAMBODGE

Au Cambodge, 90 % de la population est d'origine khmère. D'ailleurs, pendant long-temps, on a appelé « Khmers »* toute la population de ce pays, même si ce nom dispa-raît de plus en plus des dictionnaires pour laisser la place à celui de « Cambodgiens », venant du nom « Cambodge », qui lui-même est une déformation française de « Kampuchéa »*. En langue khmère, « Kampuchéa » veut dire « la nation des kâm » Les Khmers ont fondé, à partir du VIe siècle, un important royaume appelé le « Tchen-la ». Ce royaume englobait le Cambodge actuel et une partie de la Thaïlande. Les Khmers sont aussi connus pour avoir construit une magnifique cité dans la ville d'Angkor, qui fut leur capitale. Physiquement, les Khmers sont différents des Chinois : ils ont une peau plus foncée, des traits plus affirmés et des cheveux parfois bouclés.

1 Citez quelques pays d'Afrique du Nord où on rencontre des Berbères :

_____

_____

2 De quel mot français vient le nom « Berbères » ?

_____

_____

3 Comment les Berbères s'appellent-ils eux-mêmes ?

_____

_____

4 Citez quelques ethnies berbères :

_____

_____

5 Comment les Berbères appellent-ils leur langue et le territoire qu'ils habitent ?

_____

_____

6 De quel mot vient le nom « Cambodge » ?

_____

_____

7 Comment appelait-on l'empire fondé au VIe siècle par les Khmers ?

_____

8 Quelles sont, sur le plan physique, les principales différences entre Khmers et Chinois ?

_____

_____

9 La religion

LE « VODOUN », UNE RELIGION ANIMISTE

Au Bénin, une ethnie qu'on appelle les «Fon»* est considérée comme fondatrice, il y a aujourd'hui plus de 4 000 ans, d'une religion appelée le «vodoun»*. «Vodoun», en langue fon, veut dire «ce qu'on ne peut comprendre». Pour ceux qui pratiquent cette religion animiste (qui ne se réfère pas au Dieu des chrétiens, musulmans ou juifs), les phénomènes qui arrivent chaque jour aux individus comme à la nature sont causés par des esprits que nous ne voyons pas, mais avec lesquels nous pouvons entrer en contact à travers des transes. Pendant ces transes, les individus s'agitent très fortement, laissant penser qu'ils sont devenus fous. Les adeptes du «vodoun» soutiennent qu'ils entrent en contact avec les dieux et les esprits de leurs ancêtres, pour que ceux-ci leur apportent du bonheur et de la réussite dans leur vie. Le «vodoun» a été transporté, pendant la période de l'esclavage, en Amérique. En Haïti ou aux Antilles françaises, on trouve des cultes «vodoun», appelés là-bas «vaudou»*.

Le «vodoun» est une cérémonie spectaculaire : de grands prêtres ou de grandes prêtresses sont censés réaliser des numéros de magie.

LES « MOURIDES », UNE CONFRÉRIE MUSULMANE

Au Sénégal, il existe plusieurs branches de l'islam créées par des grands chefs religieux locaux. On appelle ces branches de l'islam des *confréries**. L'une des plus connues est le «mouridisme»*. Il a été fondé en 1853 par Amadou Bamba Mbacké, un grand chef religieux mort en 1907. Les adeptes de cette confrérie sont appelés des «mourides»*. «Mouride» vient du mot «mourit», qui veut dire «aspirant». Deux choses sont importantes dans la vie d'un «mouride» : être dévoué au grand chef de la confrérie, qu'on appelle le «Sérigne»*, et accorder une place très importante au travail. C'est pourquoi les «mourides» sont de très grands commerçants, considérés comme les plus riches du Sénégal. Chaque année, ils retournent dans leur pays pour assister à une grande fête pendant laquelle ils rendent hommage au «Sérigne». Cette fête s'appelle le «magal»* (voir p. 42).

1 Quelle est l'ethnie du Bénin qui a fondé le «vodoun» ?

_____

2 Que veut dire «vodoun» ?

_____

_____

3 Que se passe-t-il quand les adeptes du «vodoun» entrent en transes ?

_____

_____

4 Quel est le nom donné au «vodoun» en Haïti et aux Antilles françaises ?

_____

5 Qui a fondé le «mouridisme», et en quelle année ?

_____

_____

6 Que veut dire «mouride» ?

_____

_____

7 Comment appelle-t-on le grand chef «mouride» ?

_____

8 Quels sont les actes importants que doit réaliser un «mouride» ?

_____

_____

_____

LE « MAHAYANA », OU BOUDDHISME DU « GRAND VÉHICULE »

Au Vietnam, la majorité de la population pratique une forme de *Bouddhisme** qu'on appelle le « mahayana »* ou « grand véhicule »*, introduit dans le pays aux environs du IIe siècle. Le terme vietnamien le plus adapté pour appeler cette forme de Bouddhisme est « dai thua »* Le « mahayana » s'oppose à une autre forme de Bouddhisme, appelée le « theravada »*, ou « petit véhicule »*. Dans le « Mahayana », tout le monde peut devenir un « bouddha »*, c'est-à-dire un « illuminé », et non seulement les moines, comme c'est le cas dans le « theravada ». C'est ce qui justifie le nom de « grand véhicule », comme pour dire que tout le monde peut y trouver une place confortable. Le « mahayana » est considéré comme un Bouddhisme moins pur, car les Vietnamiens y ont ajouté certaines de leurs *traditions**.

Dans ce temple bouddhiste vietnamien, les moines pratiquent le « mahayana », c'est-à-dire qu'eux aussi peuvent être élevés, s'ils sont des pratiquants sérieux, au niveau du grand maître Bouddha.

LES ÉGLISES ÉVANGÉLIQUES, DANS LA « BIBLE BELT »

La Louisiane fait partie des États fédérés des États-Unis qui forment la « Bible belt »*, ce qui veut dire en français « ceinture de la bible ». Les autres États fédérés qui font partie de la « Bible belt » sont l'Alabama, l'Arkansas, la Caroline du Nord, la Caroline du Sud, la Floride, la Géorgie, le Kentucky, le Mississipi, la Virginie, le Tennessee et le Texas. Il s'agit d'États du sud des États-Unis, où on trouve beaucoup d'adeptes des religions protestantes. Il y a plus de cent ans, la principale branche du protestantisme qu'on trouvait là-bas était la *religion anglicane**. Aujourd'hui, on y trouve surtout des *religions évangéliques** qui jouent un rôle très important dans la vie des populations. Le dimanche, les églises sont pleines et les pasteurs prêchent sur des plateaux géants, comme des artistes lors des grands concerts de musique.

1   Qu'est-ce que le « mahayana » au Vietnam ?

_____

_____

2   Deux autres termes (un en français et un en vietnamien) désignent le « mahayana ». Lesquels ?

_____

_____

3   À quoi s'oppose le « mahayana » ?

_____

4   Quelle est la doctrine du « mahayana » ?

_____

_____

5   Que veut dire « Bible belt » aux États-Unis ?

_____

_____

6   Quels sont les États qui font partie de la « Bible belt » aux États-Unis ?

_____

_____

_____

7   Quelle est la branche de la religion protestante qu'on trouvait le plus dans la « Bible belt », il y a une centaine d'années ?

_____

8   Quelle est la branche de la religion protestante qu'on trouve le plus dans la « Bible belt » aujourd'hui ?

_____

Dans cette mosquée de la ville de Nadjaf, en Iraq, repose le corps d'Ali, le fondateur de la branche de l'Islam qu'on appelle « chiite ». C'est pourquoi on dit de Nadjaf qu'elle est la principale ville sainte des Chiites.

LES CHIITES, DES DESCENDANTS D'ALI

Le Liban est un pays particulier dans le monde arabe. On y rencontre deux importantes communautés religieuses : les chrétiens et les musulmans. Dans la communauté musulmane, nombre d'entre eux sont d'origine chiite.

L'islam est divisé en deux branches principales : les *Chiites** et les *Sunnites**. Les Chiites sont considérés comme des descendants du quatrième *calife** de l'histoire des musulmans, qui s'appelait Ali. C'est au cours de l'année 656 que les musulmans se sont divisés. Cette année-là, le troisième calife des musulmans (le calife est le successeur du fondateur de la religion musulmane, Mahomet) meurt, assassiné. Une partie des musulmans souhaite alors qu'Ali, qui est un gendre et un cousin de Mahomet, devienne calife. On va les appeler les Chiites. D'autres, les plus nombreux, s'y opposent. Ce sont eux que l'on appelle des Sunnites. Aujourd'hui, sur près d'un milliard de musulmans dans le monde, les chiites représentent environ 100 millions de fidèles.

LES CHALDÉENS, DES DISCIPLES DE SAINT-THOMAS

En Syrie et au Liban, on trouve des catholiques appelés « chaldéens »*, ou « assyro-chaldéens »*. On les retrouve également dans des pays qui ne sont pas francophones, comme l'Iraq et la Turquie. Les Chaldéens, qui ont été évangélisés par un des disciples de Jésus appelé Saint-Thomas, sont considérés comme faisant partie des tout premiers chrétiens. Des historiens estiment qu'ils ont commencé à évangéliser l'Inde, en l'an 53, soit seulement vingt ans après la mort de Jésus. Les Chaldéens, qui ont fonctionné de manière indépendante pendant plusieurs siècles, se sont rattachés à *l'Église catholique romaine** au XVIe siècle.

Les Chaldéens sont restés très attachés aux traditions du début de la religion chrétienne : ils continuent de célébrer leurs messes en araméen, la langue qui était parlée dans toute la région du Moyen-Orient à l'époque de Jésus, et ils vénèrent leur évangélisateur, Saint-Thomas.

Saviez-vous que Liban vient de «lubnana», un mot qu'un ancien roi de la cité historique de Babylone aurait écrit sur un cachet, avant de disparaître ? La capitale du Liban est Beyrouth, et la population du pays compte 3,5 millions d'habitants.

1   Quelles sont les deux principales communautés religieuses qu'on trouve au Liban ?

_____

2   Qui sont les Chiites ?

_____

3   Comment en est-on arrivé à la division, au sein des musulmans ?

_____

_____

_____

4   Combien le monde entier compte-t-il de Chiites ?

_____

5   Qui sont les Chaldéens ?

_____

_____

6   Qui est considéré comme l'évangélisateur des Chaldéens ?

_____

7   Pourquoi les Chaldéens sont-ils considérés comme faisant partie des premiers chrétiens ?

_____

_____

8   À quelle période les Chaldéens se sont-ils rattachés à l'Église catholique romaine ?

_____

10 Les jeux

LE « LAMB », LA LUTTE SÉNÉGALAISE

Au Sénégal, le «lamb»* ou lutte traditionnelle sénégalaise est très populaire. C'est un sport assez brutal, qui se pratique dans un cercle délimité par des sacs de sable. Deux colosses se mesurent, et chacun essaie de faire trébucher son adversaire. Le premier qui met les quatre membres au sol, qui se couche sur le dos ou se retrouve éjecté hors du cercle est considéré comme le perdant. Les lutteurs appartiennent à de grandes *écuries** et gagnent bien leur vie. Il y a, parmi eux, des grandes vedettes qui rivalisent avec les grands sportifs du pays. Pour beaucoup de Sénégalais, les grandes stars de la lutte traditionnelle ont des pouvoirs mystiques. Avant de descendre dans l'arène, les lutteurs entonnent le «baccou»*, un chant puissant qui vise à intimider l'adversaire et à séduire le public, et ils dansent au rythme des tam-tams. Jadis, les combats de lutte traditionnelle étaient organisés à la fin d'une bonne récolte ou d'une bonne campagne de pêche. Aujourd'hui, ces combats sont organisés à tout moment, et drainent beaucoup d'argent.

Les pratiquants de la lutte sénégalaise ont un physique impressionnant. Ils portent souvent des surnoms de personnages de cinéma comme Rambo, Robocop ou Tarzan…

LES « MÉHARÉES », DES COURSES DE CHAMEAUX

Chaque année, **en Tunisie**, la ville de Douz organise des *méharées**, qui sont de grandes courses de chameaux. À ces courses participent non seulement des *Touaregs** mais aussi des concurrents venus des pays européens. On dénombre donc plusieurs équipes représentant des pays comme le Mali, le Niger, le Maroc ou l'Algérie, ainsi que l'équipe de France ou l'équipe d'Autriche. L'épreuve consiste à parcourir 42 kilomètres à dos de chameau en plein désert et sous un soleil de plomb. Ces méharées, qui ont le plus souvent lieu au mois de décembre, regroupent plus de quatre-vingts candidats, applaudis par plus de dix mille personnes. Selon leurs organisateurs, elles permettent de faire revivre la culture touarègue, menacée de disparition suite à l'invasion des régions désertiques par les voitures et les motocyclettes.

Saviez-vous que le Sénégal est un pays de l'Afrique de l'Ouest, qui compte 11 millions d'habitants ?
Sa superficie est de 196 720 km^2 et sa capitale est Dakar.

1 Parmi ces différentes appellations, laquelle désigne en langue locale la lutte traditionnelle sénégalaise ?

lamb ☐   lumb ☐   lomb ☐

2 Qui est désigné perdant dans la lutte traditionnelle sénégalaise ?

_____

_____

3 Pour quelles raisons les lutteurs chantent-ils le « baccou » ?

_____

_____

4 Dans les temps anciens, quand organisait-on les combats de lutte traditionnelle ?

_____

5 Comment les Tunisiens appellent-ils les courses de chameaux ?

_____

6 Citez les noms de cinq équipes représentant des pays qui participent régulièrement à ces courses :

_____

_____

7 Reliez par une flèche le nombre exact de kilomètres des méharées (dans la colonne de gauche) et les conditions atmosphériques de l'épreuve (dans la colonne de droite) :

44 kilomètres •   • fraîcheur

42 kilomètres •   • pluie

26 kilomètres •   • soleil de plomb

8 Quel est le but poursuivi par les organisateurs de la course ?

_____

_____

LE « POUSSE-PION », UN JEU DE CASES

Au Cameroun, les jeunes filles aiment s'adonner à un jeu très simple et populaire, appelé «pousse-pion»*. Il suffit, pour y jouer, de dessiner sur le sol six ou huit cases dans un rectangle. Au sommet de ce rectangle, on trace un demi-cercle, qu'on appelle le «ciel». Le jeu consiste à pousser de case en case un pion avec un pied, l'autre pied ne touchant pas le sol. Lors du premier tour, la jeune fille pousse le pion de la case 1 à la case 2, de la case 2 à la case 3, jusqu'à revenir à la case 8. Ensuite, elle part de la case 2 jusqu'à revenir à la case 8, etc. Si elle franchit toutes les cases, sans que le pion ne se pose sur une ligne, elle est autorisée à lancer ce pion au «ciel». Si elle y parvient, elle va au ciel, et de dos, tente de jeter le pion dans une case. La case dans laquelle le pion aboutit est considérée comme gagnée. Lors du tour suivant, tous les candidats essaieront d'éviter cette case, quand ils pousseront le pion. Le jeu est terminé quand toutes les cases sont considérées comme gagnées par les différentes joueuses. Le «pousse-pion» est beaucoup pratiqué par les jeunes filles parce qu'il ne demande pas de matériel important, et il se joue dans une cour, ce qui leur évite de traîner dans la rue.

Le pousse-pion est un jeu très pratiqué par les jeunes filles : il leur permet de s'amuser sans frais dans la cour de la maison.

LE JEU DES DOIGTS, UN JEU INTELLIGENT

En Syrie, les jeunes élèves utilisent couramment la vieille méthode du jeu des doigts, pour réussir à réciter leurs tables de multiplication. Pour effectuer des opérations au-delà de la table de multiplication par 5, ils numérotent leurs doigts de 6 à 10, à partir du pouce de chaque main. Ensuite, ils font se toucher les deux chiffres à multiplier. Les deux doigts qui se touchent ajoutés à ceux qui sont en dessous donnent les dizaines. Le nombre de doigts du dessus à gauche multiplié par le nombre de doigts du dessus à droite donne les unités. On ajoute alors les unités obtenues aux dizaines.
Exemple : 6 x 7 = ?

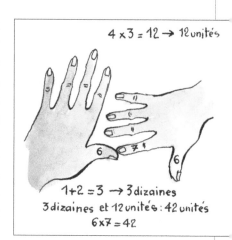

$4 \times 3 = 12 \rightarrow 12$ unités

$1 + 2 = 3 \rightarrow 3$ dizaines
3 dizaines et 12 unités : 42 unités
$6 \times 7 = 42$

Saviez-vous que le Cameroun a l'une des meilleures équipes de football d'Afrique ? Lors de la Coupe du monde de 1990 qui s'est déroulée en Italie, elle a été la première équipe africaine à atteindre les quarts de finale. Elle a déjà remporté quatre fois la Coupe d'Afrique des nations.

1   **a.** Dessinez une aire de jeu sur laquelle on peut jouer au « pousse-pion » :

b. Sur cette aire de jeu, dessinez un pion et indiquez par une flèche le sens de sa circulation lors du jeu.

2   Donnez deux raisons qui font du jeu de « pousse-pion », un jeu intéressant pour les jeunes filles :

_____

_____

3   L'exemple du texte ci-contre nous permet, à partir du jeu des doigts de résoudre l'opération 6 x 7. Pouvez-vous vous en inspirer pour résoudre l'opérations 6 x 8 ?

L'« AWALÉ », UN JEU DE STRATÉGIE

En Côte d'Ivoire et au Niger, le jeu le plus populaire est l'« awalé »*. On l'appelle aussi « jeu de six »* au Togo et « adjito »* au Bénin. Il se joue à deux, autour d'une petite table en bois sur laquelle on a creusé douze trous. Chaque joueur dispose de 24 graines placées par quatre dans six trous. Chaque joueur a pour camp les six trous qui sont en face de lui. Le premier à jouer prend les graines de l'une des cases de son camp et les « sème » dans chacun des trous suivants, dans le sens inverse des aiguilles d'une montre. Si la dernière graine est « semée » dans un trou adverse, qui contient deux ou trois graines, le joueur prend ces graines. Le jeu se fait à tour de rôle. À la fin, celui qui dispose du plus de graines est le gagnant du jeu.

L'« awalé » a aussi une signification symbolique, pour les anciens qui le pratiquent : déposer les graines dans un trou se dit « semer », ce qui est également considéré comme un signe de fertilité.

Dans les villages africains, on rencontre beaucoup de « points awalé ». Il s'agit d'un endroit où les jeunes se retrouvent pour pratiquer leur jeu favori.

LE « FANORONA », LE JEU NATIONAL MALGACHE

À Madagascar, le jeu traditionnel le plus populaire est le « fanorona »*. Ce jeu, né aux alentours de 1680, est tellement important qu'on raconte qu'en 1885, lorsque les Français envahirent Madagascar, la reine du pays, Ranavalona III, décida qu'une partie de « fanorona » dicterait sa stratégie militaire.

Comment se joue le « fanorona » ? Chaque joueur dispose de 22 pions posés sur un plateau comprenant de multiples intersections. Le but du jeu est d'éliminer tous les pions de l'adversaire. On peut éliminer les pions de deux manières. Celui qui approche son pion sur une intersection près de laquelle se trouvent un ou plusieurs pions adverses alignés les retire du jeu. De même, celui qui éloigne son pion de l'intersection près de laquelle se trouvent un ou plusieurs pions adverses alignés les retire du jeu.

1 Quel autre nom donne-t-on à l'« awalé » au :

• Togo : _____

• Bénin : _____

2

• Décrivez ce dessin.

• Dessinez des graines dans chacun des trous.

Saviez-vous que Madagascar fut un puissant royaume ? Avant la conquête de cette île par les Français en 1885, l'une des reines du royaume, Ranavalona I, bâtit un immense palais appelé « le rova de Manjakamiadana », entièrement en bois. « Mandjakamiadana » signifie « qui règne dans la tranquillité ».

3 Complétez les phrases suivantes au sujet du jeu malgache appelé « fanorona » :

• Chaque joueur dispose de _____ pions.

• Le plateau dispose de multiples _____.

4 Comment élimine-t-on les pions de l'adversaire ?

_____

_____

_____

11 La cuisine

LE « TIEP », PLAT NATIONAL DU SÉNÉGAL

Au Sénégal, dans la plupart des restaurants, on vous servira du riz « tiep bou dien »*, que beaucoup appellent simplement du « tiep ». Il s'agit d'un mélange de riz, de poisson, de carottes, de patates douces et d'aubergines. Le tout est agrémenté de condiments comme des oignons, du piment rouge, du sel, du poivre et du persil. Pour les puristes, ceux qui aiment manger le « tiep » tel qu'il était fait par leur grand-mère, le poisson avec lequel on doit préparer ce mets est un poisson d'eau douce pêché dans les eaux du Sénégal, qu'on appelle le « thiof »*. Ils peuvent tolérer, à la limite, du merlu ou de la daurade. Ce plat est consommé régulièrement dans tous les ménages du pays, et fait office de plat national.

Au Sénégal, le « tiep »
est servi au cours de
toutes les cérémonies :
mariages, naissances,
baptêmes, etc.
C'est également le plat le
plus servi dans les restaurants.

LE « SAKA-SAKA », PLAT DE LÉGUMES DU CONGO

Au Congo-Brazzaville et en République démocratique du Congo, le plat national est le « saka-saka »* ou « pondu »*, préparé à base de feuilles de manioc pilées. Ces feuilles pilées (ou moulinées) sont introduites dans une marmite d'huile de palme ou d'arachide chauffée, dans laquelle on ajoute également du *poisson fumé** ou frais et de la pâte d'arachide. Le « saka-saka » est considéré par beaucoup comme une nourriture grasse, puisqu'on y trouve de l'*huile de palme** et de la *pâte d'arachide**. Mais tous les condiments qu'on y ajoute le rendent très succulent.

Pour accompagner le « saka-saka », les Congolais préparent du « fufu »* ou du « kwanga »*, des formes de semoule cuite à partir de la farine issue des *tubercules de manioc**.

Saviez-vous que le nom « Sénégal » est issu de « sunugal », qui veut dire en langue locale « notre pirogue » ? Les Sénégalais pratiquent beaucoup la pêche de poissons d'eau douce.

1 Les éléments dessinés ci-dessous rentrent dans la composition du riz « tiep bou dien ».
Donnez leurs noms :

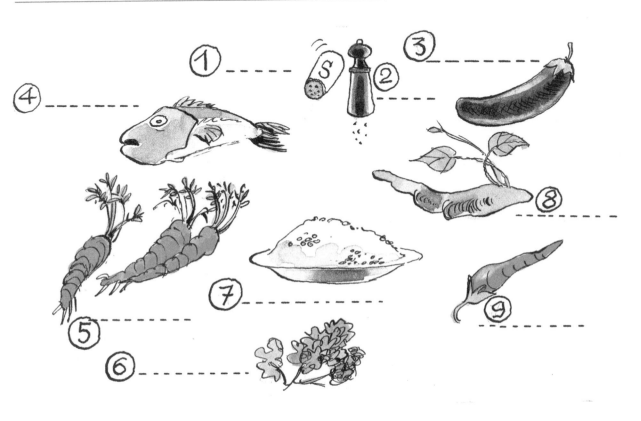

2 Donnez un autre nom par lequel les Congolais appellent le « saka-saka » :

3 Quels sont les ingrédients qui rentrent dans la préparation du « saka-saka » ?

4 Avec quels aliments accompagne-t-on le « saka-saka » ?

LE COUSCOUS AUX LÉGUMES D'ALGÉRIE

En Algérie, le plat national est le couscous aux légumes. Chaque région a sa manière de le préparer, mais le couscous de la ville d'Alger, qu'on appelle le «couscous algérois», est l'un des plus prisés. Le «couscous algérois» est fait à base de *semoule**. Quant aux légumes, il s'agit d'un mélange de pommes de terre, de haricots verts, de carottes, de navets, de petits pois, de courgettes et de *fenouil**. Les épices qu'on y ajoute sont de l'ail, du sel, du curry, du cumin, du paprika, de la coriandre, des oignons et de l'huile d'olive. Comme viande, les Algérois préfèrent de l'agneau ou du poulet. Le couscous algérois a connu tellement de succès qu'il est aujourd'hui consommé dans la plupart des pays du monde.

Parti d'Algérie, le couscous est un plat servi aujourd'hui dans le monde entier. En Algérie, certains vont même jusqu'à dire : « Quand la Chine s'éveillera, elle mangera du couscous. »

LE « FOUL », UN RAGOÛT DE FÈVES

Le plat national d'Égypte est le «foul»*, un ragoût de fèves servi en soupe ou en purée, qui peut être proposé à tous les repas. Comment le prépare-t-on ? Dans une marmite d'huile, on ajoute des fèves, qu'on assaisonne avec de l'ail, du piment, du cumin, du paprika, du sel, du poivre. Le tout est arrosé de jus de citron. Le «foul» est vendu dans la rue et constitue le repas de base de la plupart des Égyptiens.

Saviez-vous que le nom « Alger », comme « Algérie », vient du mot arabe « El Djezaïr », qui veut dire « les îles » ? C'est en 1839 que le ministre français de la Guerre a donné à ce pays le nom d'Algérie.

1 Dessinez chacun des ingrédients suivants, qui servent à préparer le « couscous algérois » :

Pommes de terre   Haricots verts

Petits pois   Navets

2 Comment prépare-t-on le « couscous algérois » ?

_____

_____

_____

3 Quels sont les deux principaux ingrédients qui servent à préparer le « foul » ?

_____

_____

4 Comment le prépare-t-on ?

_____

_____

_____

LE « LAAP », UN PLAT ÉPICÉ

Au Laos, le plat national est le « laap »*, une sorte de salade de poisson ou de viande mélangée à du riz, le tout mariné dans du *jus de lime**, du citron vert, des oignons, de l'ail, de la menthe et du piment, et emballé dans des feuilles de laitue. Ce plat épicé, comme la plupart des mets du pays, est généralement dégusté avec du « lao lao »* ou du « khao kam »*, des alcools locaux tirés du riz. Certains Laotiens préparent du « laap » avec de la viande de serpent, tel le python, ou avec d'autres animaux sauvages comme le *chevreuil**, l'*écureuil** ou la *civette**. La menthe utilisée pour préparer ce mets, comme la plupart des mets laotiens, sert à conserver la fraîcheur de la nourriture, pour compenser le manque d'appareils de réfrigération dans le pays.

La majorité des Laotiens mangent le « laap » trois fois par jour. Ils remplacent simplement de temps en temps le riz par des nouilles.

LA SOUPE DE COCO, AUX SEYCHELLES

Aux Seychelles, on trouve beaucoup de *noix de coco**. C'est ainsi que les populations ont eu une idée : faire de la soupe à partir de celles-ci. Et ça marche ! La soupe seychelloise, qu'on appelle aussi « soupe de coco »*, est très demandée par les nombreux touristes qui visitent ce pays. Comment la prépare-t-on ? Il faut disposer de giraumon, un fruit en forme de poire, qui, vidé de ses pépins et cuit pendant longtemps, va s'écraser pour jouer le rôle de *soupière**. Cuit dans de l'eau, on y ajoute des haricots blancs cuits, du jambon cru coupé en tube, des oignons émincés, de l'huile, du piment fort, un peu de safran, du sel, de l'eau et de la chair de noix de coco taillée en petits morceaux. Le plat est généralement servi chaud. La soupe de noix de coco est proposée dans les nombreux restaurants des différentes îles que composent les Seychelles.

1 Comment prépare-t-on le « laap » ?

_____

_____

_____

2 Citez deux boissons alcoolisées du Laos :

_____

3 Donnez le nom de chacun des animaux suivants, avec lesquels on peut préparer du « laap » :

① - - - - - - - - - -

② - - - - - - - - - -

③ - - - - - - - - - -

④ - - - - - - - - - -

Saviez-vous que les Seychelles constituent un ensemble de 115 îles ? Le tout forme une superficie de 455 km² pour une population de 90 000 habitants.

4 Comment prépare-t-on la soupe de coco seychelloise ?

_____

_____

_____

12 Les modes de vie

LES « TROIS NORMAUX », PENDANT LA CHALEUR

Au Niger, ainsi que dans tous les pays du Sahel comme le Mali, la Mauritanie, le Sénégal ou le Burkina Faso, la température dans certaines villes dépasse souvent, dans les après-midi de saison sèche, les 45°. Alors, les populations arrêtent toute activité : les femmes et les enfants se regroupent à l'intérieur des maisons, pendant que les hommes se réfugient sous les arbres pour consommer ce qu'on appelle là-bas les «trois normaux»*. Il s'agit en fait de thé à la menthe, servi à trois reprises, d'où cette appellation de «trois normaux». La première fois, le thé n'est pas fortement dilué, donc il est plus fort. Il perd progressivement de sa force lors des deuxième et troisième fois. Pour beaucoup, ce thé ne permet pas seulement la digestion et le maintien en éveil des personnes qui subissent cette rude chaleur, mais il favorise aussi la discussion et entretient l'amitié.

Dans le désert africain, les débuts d'après-midi sont très chauds. C'est pourquoi, dans certains pays, il est conseillé de ne pas travailler mais de prendre plutôt un thé à l'ombre.

LE « KHAT », LA « SALADE » DES DJIBOUTIENS

À Djibouti, la plupart des habitants passent la journée à mâcher des feuilles qu'ils appellent « salade » ou « khat »*. Ces feuilles, dont le nom scientifique est « catha edulis », contiennent des substances hallucinogènes, c'est-à-dire qu'elles peuvent agir comme des drogues. Beaucoup de Djiboutiens disent que cette plante leur donne un sentiment de bien-être et empêche la faim et la fatigue. Conséquence : malgré les avertissements des médecins qui soulignent ses dangers pour la santé, le « khat » reste très consommé par les Djiboutiens, et il est en vente libre à tous les coins de rue. Le jeudi est le grand jour de ravitaillement pour toute la famille. Le plus souvent, le chef de famille en achète plusieurs tiges, qu'il ramène à la maison. Lui-même, sa femme et ses enfants majeurs les consommeront pendant toute la semaine.

ACTIVITÉS

1 Nous sommes un après-midi au Niger. Il fait très chaud (45°). Commentez cette scène.

_____

_____

_____

_____

Saviez-vous que Djibouti est situé dans une région appelée la « Corne de l'Afrique » ? Il s'agit en fait d'un petit bec, séparé des pays arabes par la mer Rouge. Djibouti compte 700 000 habitants pour une superficie de 23 200 km².

2 Quel est le nom scientifique du « khat » ?

_____

3 Quelles sont les raisons qui poussent les Djiboutiens à consommer du « khat » ?

_____

4 Consommation du « khat » :

• Quel est le jour de ravitaillement de la famille ? _____

• Qui ravitaille la famille ? _____

• Qui consomme du « khat » dans la famille ? _____

LES « BAYE-FALL », DES MENDIANTS AMBULANTS

Au Sénégal, les « baye-fall »* sont de jeunes mendiants que l'on retrouve tout le long des rues des grandes villes, portant généralement des *gri-gris** et laissant pousser leurs cheveux à la mode « rasta »*. Il s'agit en fait d'une caste de la confrérie des mourides, descendants d'un des grands amis du créateur de cette confrérie, Amadou Bamba Mbacké. La légende veut que cet ami du grand chef mouride, qui s'appelait Cheikh Ibra Fall, lui soit resté tellement fidèle qu'en guise de récompense, il ait été dispensé par son maître de pratiquer les principaux *piliers de l'Islam**, comme le jeûne. Les « baye-fall » sont donc ses descendants. Leur conception de l'Islam est plus souple. Elle tolère parfois la consommation de boissons alcoolisées ou de certains *produits hallucino-gènes**. Seule obligation : ils doivent travailler dur ou mendier, pour nourrir leur maître. C'est considéré comme un gage de fidélité, et cela permet ainsi d'être de dignes descendants de Cheickh Ibra Fall.

LE NARGUILÉ, À LA TERRASSE D'UN CAFÉ

Au Liban, les jeunes aiment fumer du narguilé, à la terrasse des cafés des villes. Le narguilé est une sorte de grande pipe, qui peut faire penser, quand on l'observe, aux anciennes *lampes-tempêtes**. Il dispose d'un réservoir dans lequel on met de l'eau. Au-dessus, on dépose du tabac, qu'on entoure de charbon chauffé. À partir d'un ou de plusieurs embouts, on peut aspirer de la fumée. Selon les jeunes Libanais qui fument du narguilé, le goût est encore meilleur quand le tabac est parfumé. Les jeunes, après les classes, se retrouvent en groupes dans les cafés branchés où ils fument dans des coins spécialement aménagés, en se racontant des histoires. Mais les médecins sont de plus en plus inquiets des dommages du narguilé sur la santé, et ils souhaitent que les jeunes ralentissent ou cessent cette consommation.

Sur les terrasses des cafés de Beyrouth, la capitale du Liban, la mode chez les jeunes est de venir fumer du narguilé.

1 Nous sommes à Dakar. Commentez cette scène.

_____

_____

_____

2 Que raconte la légende sur l'origine des « baye-fall » ?

_____

_____

_____

Saviez-vous que le Liban a connu, pendant quinze ans, une guerre terrible ? De 1975 à 1990, une guerre civile entre Libanais a déchiré ce pays, divisé en chrétiens et musulmans. Aujourd'hui, le pays s'est reconstruit, et ces deux communautés vivent en paix.

3 Cochez la case correspondante :

Le narguilé ressemble :
• à une ancienne lampe-tempête ☐
• à un briquet servant à allumer du feu ☐
• à une ampoule électrique ☐
• à une batterie de voiture ☐

4 Comment fonctionne un narguilé ?

_____

_____

Les Québécois aiment passer d'une belle façade à une autre belle façade, par simple goût du changement.

LE 1er JUILLET, JOUR DE DÉMÉNAGEMENT

Au Canada, dans la province du Québec, plus du cinquième de la population change d'appartement le 1er juillet de l'année. Cette tradition remonte à 1974, lorsque le gouvernement a décidé de prolonger tous les contrats de location jusqu'au 1er juillet, pour que les déménagements correspondent aux vacances scolaires. Cela a eu pour conséquence entre autres d'attiser l'envie de déménager des Québécois : dans certains quartiers, une personne sur deux déménage le 1er juillet. Ce jour-là, la ville est particulièrement embouteillée, et on assiste à un jeu de « chaises musicales », où des gens aménagent dans une maison elle-même en train d'être quittée par son occupant qui lui-même aménage dans une autre maison. Pourquoi les Québécois aiment-ils ainsi déménager ? Pour certains sociologues qui ont étudié cette question, cela est dû à leur goût pour le changement, et à la recherche permanente d'un logement meilleur. La preuve : plus de trois quarts des habitants de Montréal, la plus grande ville du Québec, préfèrent être locataires que propriétaires de leur appartement.

RECHERCHE D'OR DANS LES VILLAGES

En Guyane française, les populations s'organisent souvent pour aller chercher de l'or. Car les légendes d'hommes devenus riches après avoir découvert de l'or dans les mares d'eau sale de ce département français continuent de circuler. Ainsi, beaucoup quittent les villes et vont vers les campagnes où, pendant des jours et des nuits, ils cherchent le métal précieux. Les techniques utilisées sont le plus souvent artisanales, et ont des noms tels que la « poêle à frire »*, le « long tom »* ou le « cayotinh »*. Pratiquement toute la vie là-bas est rythmée par ces recherches d'or, malgré les lois françaises qui les interdisent.

ACTIVITÉS

1 À quand remonte la tradition de déménagement le 1er juillet de l'année chez les Québécois ?

2 Expliquez ce jeu de « chaises musicales » lors des déménagements (dessins).

Saviez-vous que la Guyane est un département français d'outre-mer ? Elle a été découverte par Christophe Colomb, qui l'a d'abord baptisée Île de la Grâce. Quelques années plus tard, ce territoire fut appelé « Guyana », qui vient de « wayanas », le nom d'une tribu indienne. Aujourd'hui, la Guyane française est peuplée de 157 213 habitants pour une superficie de 90 976 km².

3 Qu'est-ce qui pousse les gens à aller chercher de l'or en Guyane ?

4 Citez trois techniques utilisées pour chercher de l'or :

13 Les langues maternelles

LE SWAHILI, LA LANGUE DU SAHEL

Le *swahili**, que certains appellent aussi «kiswahili»* (à la manière du swahili) est une langue bantoue parlée dans de nombreux pays d'**Afrique centrale et de l'Est**, parmi lesquels la République démocratique du Congo, le Rwanda et le Burundi. Le mot «swahili» vient de l'arabe «sawahil», qui est le pluriel de «sahil» ou «sahel», voulant dire «côte». Cette langue est aujourd'hui considérée comme la langue la plus parlée d'Afrique, puisqu'elle couvre des pays aussi vastes que le Kenya, la Tanzanie et l'Afrique du Sud. C'est d'ailleurs pour cela que beaucoup d'experts de l'Union africaine, l'organisation qui regroupe tous les pays africains, souhaitent la proposer comme langue officielle de l'Afrique.

Cette langue a quelques particularités : les voyelles telles que le «e» et le «u» se prononcent «é» et «ou». Pour les consonnes, le «h» est aspiré comme en anglais, le «j» se prononce «dj» comme Jackson, le «ch» se prononce «tch», etc.

baba (père)	**ng'ombe** (vache)	**saa** (heure, montre)
kiti (chaise)	**nyota** (étoile)	**taa** (lampe)
moto (feu)	**shule** (école)	**juu** (en haut)
kuku (poulet)	**dada** (sœur)	**subalkheri** (bonjour)
chai (thé)	**gari** (voiture)	

LE LINGALA, UNE LANGUE BANTOUE

Le *lingala** est une langue bantoue parlée par les *Bangala**, au Congo et en **République démocratique du Congo**. «Bangala» veut dire «les populations de l'ethnie ngala» et «lingala» signifie «la langue des Ngala».

Le lingala est une langue qui a connu une très forte expansion, grâce aux succès musicaux des artistes congolais. À l'origine, le lingala n'était pas la langue d'une ethnie (ou langue maternelle), mais une *langue véhiculaire** issue d'un brassage de plusieurs langues bantoues parlées par les commerçants et les riverains du fleuve Congo. Devenue par la suite langue de l'armée et de l'administration au Congo et en République démocratique du Congo, elle s'est répandue chez toutes les populations du pays. C'est une langue à l'orthographe aisée, et qui se lit phonétiquement. Exemple : «Amour» se dit et s'écrit «linga», «aimer» se dit et s'écrit «kosomba», «jour» se dit et s'écrit «mokolo», «jouer» se dit et s'écrit «kosakana», «viande» se dit et s'écrit «mosuni», etc.

Saviez-vous que l'Afrique compte des milliers de langues maternelles ? Rien qu'au Cameroun, on compte plus de 250 langues. C'est pourquoi certaines personnes, qui veulent que l'Afrique s'unisse sur le plan politique et économique, proposent le swahili comme langue à apprendre par tous les Africains.

1 **Citez trois pays africains francophones dans lesquels on parle le swahili :**

_____

2 **Carte de l'Afrique :**

Hachurez la région dans laquelle on parle le swahili.

3 **Quelle est la prononciation en swahili des lettres suivantes :**

• « e » : _____

• « u » : _____

• « j » : _____

4 **Dans quels pays parle-t-on le lingala ?**

_____

5 **Comment appelle-t-on les gens qui ont pour langue maternelle le lingala ?**

_____

6 **Indiquez par des flèches la correspondance entre les mots français et lingala :**

amour •   • mosuni

aimer •   • mokolo

jour •   • kosakana

jouer •   • linga

viande •   • kosomba

L'ACADIEN, PROCHE DE L'ANCIEN FRANÇAIS

La langue acadienne est parlée dans la province du Nouveau-Brunswick, **au Canada**. Les Acadiens, qui sont des descendants de Français partis principalement de la région du Poitou, ont conservé fidèlement le parler de leurs ancêtres. Pendant plus de 350 ans, les Acadiens n'ont reçu ni journaux, ni documents de la France, et ils n'ont par conséquent pas modifié leur langue. C'est donc une langue qui a conservé la logique de l'ancien français. Ainsi, l'Acadien dira « Que je save » au lieu de « Que je sache », « il mourit ou il a mouri » au lieu de « il mourut », « il a ouvri » au lieu de « il a ouvert ».

La langue acadienne n'a jamais connu les verbes au passé simple ou les subjonctifs, ajoutés plus tard au français et qui le rendent assez compliqué. Le vocabulaire acadien a également conservé certains vieux mots, comme « abriller » qui veut dire en français standard « couvrir », « bagouler » qui veut dire « bavarder », « deparler » qui veut dire « raconter des choses qui n'ont pas de sens », « pigouiller » qui veut dire « taquiner », etc.

LE CRÉOLE, LA LANGUE DES ÎLES

Le *créole** est une langue parlée par les populations **des îles** telles que la Martinique, la Guadeloupe, Haïti, la Réunion, Maurice, les Seychelles, etc. « Créole » est un mot d'origine espagnole, qui veut dire « élevés ici ».

La langue créole est apparue au cours du XVIIe siècle, chez les esclaves. C'est un mélange entre la langue des esclaves africains, la langue officielle des esclavagistes français et espagnols, et des *patois** ramenés par ces esclavagistes, comme le parler du Poitou, de Bretagne ou de l'Anjou en France. Le créole connaît de nombreuses variantes, selon les pays et les régions. Aux Antilles, à la Réunion et aux Seychelles, le créole a sa grammaire, et est de plus en plus enseigné dans les écoles.

Exemple de petit lexique créole de la Réunion : « zordi » veut dire « aujourd'hui », « y fré fré » veut dire « il fait froid », « ça même même » veut dire « c'est cela », « amuse pas » veut dire « ne tarde pas », « gazon de riz » veut dire « portion de riz », etc.

Le Renard et la Cigogne, version en créole réunionnais par Louis Héry (1828).

« Ah ! compère,
Vous là voudra bien séquiser,
Çat la saut' sis la tabl', tout' li plats l'a brisé.
Moi l'était blizé mett' manzer dans n'gargoulette ».
(n'avait siprit commèr' z'aigrette !)
« Allons-nous manz' touzours ». Son grand la bec pointi
Plonz', quand même li trou l'est piti,
Li hall' hardiment bon bouçée,
Et li cien tant sél'ment li sentir la fimée.
Faut voir vilain grimaç qu'li fait,
Quand qu'li souq' gargoulett' pour avis' li collet.
Ein' fois qu'z'aigrette plein ventr', li dit :
« Salam, compère »,
« Moi s'en va, moi n'en a z'affaire ».
Quand qu'z'aut' l'a séparé, n'a pas 'tait bons amis.
Li cien, li ventr'plat, tout camis,
La r'tourn' la cas' son maîtr', son qué rentr' son patte.
Vous donne à moi manioc, moi rendre à vous batate.

Saviez-vous comment on appelle les habitants du Nouveau-Brunswick ? Des Néo-Brunswickois. Le nom de cette province canadienne a été attribué dans la deuxième partie du XVIIIᵉ siècle, en l'honneur du roi d'Angleterre George III, qui descendait du Duché de Brunswick, à Hanovre. Aujourd'hui, cette province compte 729 500 habitants pour une superficie de 73 437 km².

1 Dans quelle province du Canada parle-t-on la langue acadienne ?

_____

2 Pourquoi la langue acadienne n'a-t-elle pas varié pendant plus de 350 ans ?

_____

_____

3 Citez trois mots de l'ancien français qu'on retrouve dans l'acadien aujourd'hui et donnez leur signification :

_____

_____

_____

4 Citez les pays et territoires francophones où on parle le créole :

_____

_____

5 Quelles sont les principales langues à la base du créole ?

_____

_____

6 Faites correspondre par des flèches les mots et expressions créoles aux mots et expressions français :

« zordi » •   • « il fait froid »

« y fré fré » •   • « portion de riz »

« ça même même » •   • « c'est cela »

« gazon de riz » •   • « aujourd'hui »

LE MALGACHE, UNE LANGUE ANCIENNE

Madagascar dispose de l'une des plus anciennes langues africaines. La langue malgache appartient à la famille des langues *austronésiennes**, comme par exemple le malais, l'indonésien ou les langues des Philippines. Cette langue, qui vient des peuples d'Océanie, de Malaisie et d'Indonésie qui ont émigré vers Madagascar, a beaucoup été influencée par les langues africaines et par l'arabe.

Le malgache comprend plusieurs *dialectes**, qui varient très peu d'une région à l'autre du pays. Son alphabet compte 21 lettres, car les lettres *c*, *q*, *u*, *w* et *x* n'y existent pas. Le « e » se prononce « é », le « g » se prononce « gu », le « j » se prononce « dz » et le « o » se prononce « ou ».

Il existe de nombreux mots d'origine étrangère : « divai » vient du français « du vin », « dibera » vient du français « du beurre », « gisa » qui veut dire « oie » vient de l'anglais « geese », « alika » qui veut dire « chien » vient des langues africaines, « parasy » qui veut dire « puce » vient des langues africaines, etc.

Andehova : littéralement « esclave du roi », ce terme qualifie donc les serviteurs des nobles et surtout du roi.

Andevo : esclave.

Aty : foie.

Aty'ala : grande forêt ou centre de la forêt.

Fady : interdit traditionnel transmis par la tradition orale. Ce terme est parfois traduit par « tabou ».

Fanafody : médicament, remède traditionnel, grigri, sort.

Fanahy : esprit des ancêtres.

Fasana : tombeau.

Filiham-pokonolona : président des villageois. Il s'agit d'un grade administratif.

Fokolona : villageois.

LE LAO, ENTRE LES TONS ET LES ACCENTS

Au Laos, on parle la langue lao. Cette langue est également parlée dans certaines régions du Nord-Est de la Thaïlande. Elle compte six *tons**, 33 consonnes et 28 voyelles. C'est également une langue qui peut s'écrire, en allant de gauche à droite et de haut en bas. Le lao comprend cinq *accents**, selon qu'on se trouve à Vientiane la capitale, dans le Nord, dans le Nord-Est, dans le Centre et au Sud. Dans la langue lao, il n'y a pas de conjugaison des verbes, ni de genre (masculin et féminin) ni non plus de pluralité comme en français. Par exemple : « Je vais au marché » se dit « khoy pay talad » (« je aller au marché ») ; ou « j'ai besoin de vous » se dit « khoy tongkane tchao » (« je vouloir vous »). Les pronoms personnels sont : « khoy » (je), « tchio » (tu), lao (il ou elle), « phwak hao » (nous), « phwak tchio » (vous) et « phwak khao » (ils ou elles).

1 Citez deux langues qui, comme le malgache, sont des langues austronésiennes :

_____

2 Quelles sont les autres langues, non originaires d'Asie de l'Est et d'Océanie, qui ont influencé le malgache ?

_____

3 Quelles sont les lettres qui manquent dans l'alphabet malgache ?

_____

4 Comment se prononcent en malgache les lettres suivantes :

• « e » _____   • « g » _____

• « j » _____   • « o » _____

5 Tracez la flèche de correspondance entre les origines des mots (à gauche) et les mots malgaches (à droite) :

« du vin » •	• « divai »
« du beurre » •	• « gisa »
« geese » •	• « parasy »
« chien » •	• « alika »
« puce » •	• « dibera »

6 À part au Laos, dans quel autre pays parle-t-on le lao ?

_____

7 Caractéristique du lao :

• nombre de tons : _____

• nombre de voyelles : _____

• nombre de consonnes : _____

8 Quels sont les différents accents du lao ?

_____

_____

14 Le commerce

LES « NANA BENZ », DES REVENDEUSES DE PAGNE

Au Togo, les riches vendeuses de tissus en pagne sont appelées des «nana benz»*. On les appelle ainsi parce que, une fois fortune faite, elles achètent généralement un véhicule de la marque allemande «Mercedes Benz». Les «nana benz» procèdent ainsi : elles vont acheter des pagnes chez des fabricants européens, notamment aux Pays-Bas. Elles reviennent ensuite les vendre à des femmes de hauts responsables politiques, administratifs et des affaires de toute l'Afrique de l'Ouest. Bien qu'illettrées, ces femmes savent négocier les meilleurs prix à l'achat et à la vente, et elles sont aujourd'hui considérées comme un modèle de dynamisme des femmes africaines. Selon des calculs de la Communauté économique des États de l'Afrique de l'Ouest, pendant les années 1970-1980, les « nana benz » détenaient à elles seules jusqu'à 40 % des affaires commerciales du Togo.

Les « nana benz » ont réussi, rien qu'en vendant des pagnes, à être de grandes femmes d'affaires. Aujourd'hui, elles sont des modèles pour beaucoup de jeunes filles en Afrique.

LES « BANA-BANA », DES VENDEURS AU DÉTAIL

Au Sénégal, les petits commerçants spécialisés dans le secteur de la vente au détail sont appelés les «bana-bana»*. On les retrouve dans tous les secteurs : vendeurs ambulants de produits manufacturés, vendeurs de produits frais, marchands d'arachides, etc. «Bana-bana», qui vient de la langue malienne bambara, veut dire «vagabond». Au Sénégal, on les considère comme des «goorgolu»*, ce qui veut dire «débrouillards» en langue wolof. Même si, officiellement, les «bana-bana» n'entrent pas dans les chiffres économiques du pays puisqu'ils constituent ce qu'on appelle le secteur informel, leur importance est reconnue au Sénégal. Grâce à eux, de nombreuses familles ont de quoi manger, dans un pays où le nombre de chômeurs est très élevé, comme dans la plupart des pays africains.

Saviez-vous que le Togo, dans les années 1970, était appelé la « Suisse de l'Afrique » ? Sa capitale, Lomé, était alors une ville très propre. Dans les années 1990, le pays a traversé une grave crise économique, et Lomé n'est plus une ville aussi propre qu'avant.

1 Quelle est la marque de voitures qu'aiment acheter les « nana benz » ?

2 Sur cette carte, tracez avec des flèches le parcours commercial des « nana benz ».

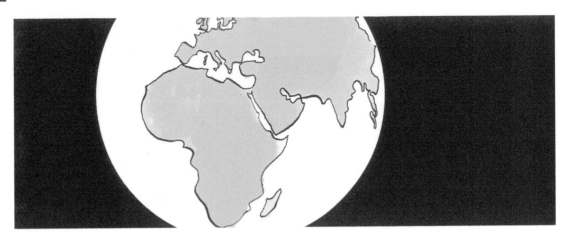

Saviez-vous qu'au Sénégal, la débrouillardise est un mode de survie pour beaucoup de personnes ? Au point que le « goorgulu », celui « qui fait de son mieux », est un personnage qu'on représente dans la plupart des séries de télévision ou des sketchs sénégalais.

3 Citez au moins trois secteurs économiques dans lesquels on retrouve les « bana-bana ».

4 Selon vous, faut-il supprimer le commerce des « bana-bana » ?
Donnez deux raisons qui justifient votre thèse.

La vie d'une « bayamsellam » n'est pas facile : tôt le matin, elle doit aller s'approvisionner dans les champs, et dans la journée, vendre ses provisions au marché.

LES « BAYAMSELLAM », DES VENDEUSES À LA SAUVETTE

Au Cameroun, des femmes commerçantes, de plus en plus nombreuses, sont appelées des « bayamsellam »*. Ce nom vient de l'anglais « buy and sell », qui veut dire « acheter et vendre ». Il s'agit donc de revendeuses, spécialisées dans la revente de nourriture. Tôt le matin, elles quittent leur domicile pour aller se ravitailler aux abords des champs. Elles font transporter leurs produits dans des *cars**, jusqu'au marché. Avant 11 heures du matin, elles auront écoulé tous leurs produits et réalisé d'importants bénéfices. Par la suite, elles retournent à la maison préparer à manger pour leur mari et leurs enfants. Toutes les études réalisées par certaines organisations internationales reconnaissent l'importance des « bayamsellam » dans les familles camerounaises. La plupart du temps, elles sont la seule source de revenus de la famille, et elles doivent également s'occuper de la scolarisation des enfants.

LES « DIOULAS », UNE CASTE DE COMMERÇANTS

En Côte d'Ivoire, une partie des populations originaires du nord du pays est appelée les « dioulas »*. Il ne s'agit pas, en fait, d'une ethnie, mais d'une caste de commerçants du royaume mandingue. Un peu comme on avait une caste de *griots** ou chanteurs, une caste de *forgerons** ou une caste de *chasseurs**. En langue malinké, qui est l'une des langues mandingues, « dioula » veut d'ailleurs dire « commerçant ». Les « dioulas » sont spécialisés dans les transports et dans le petit commerce. En Côte d'Ivoire, la grande majorité des propriétaires de cars de transports (appelés « gbaka »*) sont des « dioulas ».

1 D'où vient le nom « bayamsellam » ?

_____

2 Dans quelle activité sont spécialisées les « bayamsellam » ?

_____

3 Commentez les dessins retraçant la journée d'une « bayamsellam ».

A. _____   B. _____

C. _____   D. _____

Saviez-vous que le premier Président de la Côte d'Ivoire, Félix Houphouët-Boigny, avait souhaité que son pays garde le nom de Côte d'Ivoire, en français comme en anglais ? Les anglophones l'appelaient alors Ivory Coast. Aujourd'hui, le pays est peuplé de 17 millions d'habitants pour 322 460 km².

4 Que veut dire « dioula » en langue malinké ?

_____

5 Citez au moins trois castes connues dans l'histoire des Africains :

_____

LA ZONE FRANCHE, POUR UN COMMERCE SANS TAXES

L'île Maurice est aujourd'hui citée dans le monde comme un des pays où le modèle de *zone franche** a le mieux réussi. Comment fonctionne une zone franche ? Un pays décide de supprimer les *impôts** et les *taxes** sur une partie de son territoire, pour attirer des entreprises étrangères. Et la production de ces entreprises est réexportée, pour n'être vendue qu'à l'étranger. À l'île Maurice, la zone franche a eu beaucoup de succès parce qu'il n'y a jamais eu de guerre civile, et le pays dispose d'un port qui a su se développer.

C'est en 1970 que l'île Maurice s'est lancée dans la création d'une zone franche, et plus de 500 entreprises y sont installées aujourd'hui, employant plus de 91 000 personnes. Grâce également à cette zone franche, le pays a l'un des revenus par habitant les plus élevés d'Afrique : il est de 4 000 dollars par an.

Grâce à sa zone franche, l'île Maurice est aujourd'hui l'un des pays les plus développés d'Afrique.

LE COMMERCE TRIANGULAIRE OU COMMERCE DES ESCLAVES

Pendant la période de l'esclavage, entre le XVIIe et le XIXe siècle, il s'est développé ce qu'on a appelé le « commerce triangulaire ». Des Noirs étaient capturés **en Afrique** et amenés **en Amérique** pour travailler dans les champs de canne à sucre, de coton et d'indigo. Les bateaux qui transportaient ces Noirs repartaient **en Europe** avec les récoltes, et d'Europe, ils repartaient vers l'Afrique avec des miroirs et des étoffes, qu'ils allaient échanger contre de nouveaux esclaves. On a appelé cela le « commerce triangulaire » parce qu'il se déroulait entre trois continents, l'Afrique, l'Amérique et l'Europe.

Saviez-vous que de nombreux pays africains ont tenté de créer également des zones franches, mais qu'aucune n'a véritablement marché ? Seule l'île Maurice, qui ne compte pourtant que 1,2 millions d'habitants pour une superficie de 1865 km², peut être aujourd'hui citée en exemple.

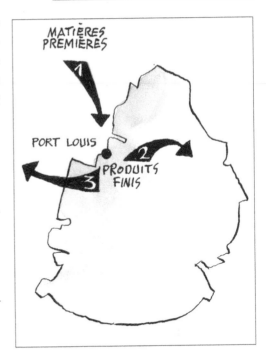

1 Parmi les trois flèches sur ce dessin, laquelle faut-il supprimer ?

_____

2 En quelle année l'île Maurice a-t-elle créé sa zone franche ?

_____

3 Quel est le bilan de la zone franche mauricienne ?

• Nombre d'entreprises installées : _____

• Nombre de personnes employées : _____

Saviez-vous que l'esclavage a vu la déportation de plus de 10 millions de Noirs vers les Amériques ? Et que, pendant le transport de ces personnes, près de trois millions seraient mortes ? C'est pourquoi on parle aujourd'hui de « crime contre l'humanité », pour qualifier cette pratique.

4 À l'aide de flèches, complétez ce schéma du fonctionnement du commerce triangulaire.

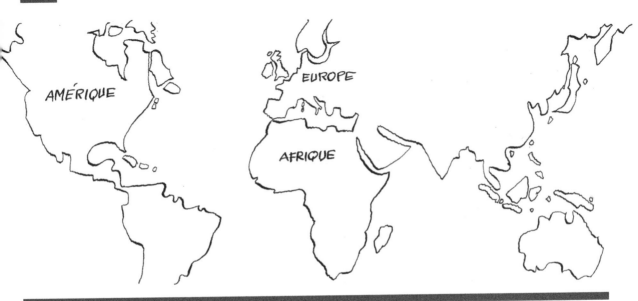

15 Les royaumes

LE ROYAUME DU MALI, OU ROYAUME MANDINGUE

Une fresque représentant Kankan Moussa, le plus célèbre roi mandingue. Au XIVe siècle, il a fait un pèlerinage à La Mecque.

L'empire du Mali, ou empire mandingue, qui a existé en Afrique de l'Ouest (Mali, Burkina Faso, Côte d'Ivoire et Guinée) entre le XIIe et le XVIe siècle, est l'un des mieux organisés que l'Afrique ait connus. Il fut créé par un guerrier resté très célèbre chez les Maliens d'aujourd'hui, du nom de Soundiata Keïta. Il a organisé une administration efficace, avec un service des impôts, des prisons, des relations diplomatiques, de l'administration intérieure, de la guerre, etc. Il gouvernait son territoire en chef éclairé. Après sa mort, de nombreux descendants se sont succédé sur son trône. Le plus célèbre d'entre eux, Kankan Moussa, fit un *pèlerinage à La Mecque** au XIVe siècle. À partir du XVIe siècle, l'empire du Mali a commencé à s'affaiblir, à cause des querelles de succession, de l'arrivée des Européens sur les côtes africaines et du commerce des esclaves.

LE ROYAUME KHMER, OU ROYAUME DE TCHEN-LA

Le royaume de Tchen-la a été occupé par les Khmers, au VIe siècle, avant d'être reconstitué à partir de 802 par le roi Jayavarman II. Il établit sa capitale près de la cité d'*Angkor**, célèbre aujourd'hui pour son architecture royale. Ce royaume était centralisé, c'est-à-dire que tout passait par le roi. Le roi était considéré comme un dieu, intronisé par le ciel.

La puissance économique du royaume était due au système des « cités hydrauliques », qui sont des réservoirs d'eau alimentant des plantations de riz. Ce royaume connaîtra sa période la plus glorieuse sous les rois Suryavarman I (1002-1050) et Suryavarman II (1112-1150), qui sont les bâtisseurs de la cité d'Angkor. Pendant cette période, le royaume de Tchen-la couvre non seulement le Cambodge actuel, mais aussi une partie de la Thaïlande. Aujourd'hui encore, le roi du Cambodge est considéré comme un descendant de la lignée des rois khmers.

Saviez-vous que l'Afrique, autrefois, était organisée en royaumes et que les choses se passaient nettement mieux qu'aujourd'hui? Il y avait peu de guerres, pas beaucoup de famine ni de maladies... Ces royaumes avaient pour nom empire du Ghana, empire Songhaï, empire du Mali...

1   Quels principaux pays regroupait l'empire du Mali?

_____

_____

2   Quel est le nom du fondateur de cet empire?

_____

3   Quel est le descendant le plus célèbre du fondateur de l'empire du Mali?

_____

4   Citez quelques causes de l'affaiblissement de l'empire du Mali:

_____

_____

_____

5   Qui a reconstitué le royaume de Tchen-la?

_____

6   Où a-t-il établi sa capitale?

_____

7   De quelle activité provenait la puissance économique de ce royaume?

_____

8   Citez deux rois bâtisseurs de la cité d'Angkor:

_____

_____

LES ROYAUMES DU RUANDA-URUNDI, FRESQUE ROYALE CHEZ LES « MWAMI »

Au XVIᵉ siècle, la région qu'on appelle aujourd'hui *Grands Lacs africains** (Burundi, Rwanda) s'est organisée sous l'autorité de rois qu'on appelait des «mwami»*. Ces rois représentaient le dieu des populations. L'un de ces «mwami», qui s'appelait Nyiginya, réussit à unifier tout le royaume sous son seul pouvoir. Il mit alors sur pied une administration efficace et organisa un royaume puissant. Dans chaque région, il nomma un «chef des pâturages» pour l'élevage, un «chef des terres» pour l'agriculture et un «chef d'armée» pour la guerre et la sécurité. Le «mwami» le plus célèbre fut Ntare Rugamba (1796-1850), qui dota le pays d'une puissante armée et agrandit son territoire par la guerre. Il est aussi à la base d'une décision qui a encore des conséquences aujourd'hui : c'est lui qui a créé une classe des *Hutu** et une classe des *Tutsi**, qui étaient en fait des classes sociales et non des ethnies. Ce sont les colonisateurs allemands, puis belges, qui transformeront cette division de classes sociales en division ethnique.

LE ROYAUME DU MAROC, LE ROI RÈGNE ET GOUVERNE

Le royaume du Maroc est l'une des plus vieilles monarchies au monde. Fondée en 1640 par Moulay Rachid, cette monarchie, aussi appelée dynastie des *Alaouites**, est une monarchie constitutionnelle : le roi est le chef de l'État, c'est-à-dire que c'est lui qui détient le pouvoir exécutif du pays. En plus de ce pouvoir exécutif, il dispose du pouvoir religieux, puisqu'il est considéré comme le chef des *croyants**. En effet, la dynastie des rois marocains représenterait la trente-cinquième génération des descendants d'Ali, l'un des gendres du fondateur de l'islam, Mahomet. L'actuel roi, Mohammed VI, est le 18ᵉ de la lignée. Il a succédé à son père Hassan II, mort en 1999.

Le roi Mohammed VI, que les jeunes appellent «M6», est un roi moderne. Il est le 18ᵉ roi de la lignée des Alaouites.

Saviez-vous qu'en 1994, le Rwanda a connu un important génocide ? Entre 500 000 et 1 000 000 de personnes, en majorité des Tutsi, ont été tuées lors d'affrontements entre les Hutu et les Tutsi. Aujourd'hui, ceux qui ont organisé ce génocide sont jugés par un tribunal spécial créé par l'Organisation des Nations Unies.

1 Quel est le nom du «mwami» qui a unifié le Rwanda-Urundi ?

_____

2 Complétez cet organigramme de l'administration du Rwanda-Urundi :

Mwami

| chefs des .... | chefs des .... | chefs d'............... |

3 Quel est le nom du «mwami» le plus célèbre ?

_____

Saviez-vous que le nom « Maroc » est une contraction du nom de l'une des principales villes du pays, Marrakech ? Avant que ce nom ne lui soit donné au milieu du XIXᵉ siècle, ce territoire s'appelait «Maghreb el-Aqça», ce qui veut dire «Maghreb extrême».

4 En quelle année et par qui a été fondé le royaume du Maroc ?

_____

5 Quel autre nom donne-t-on à cette dynastie ?

_____

6 Complétez le les phrases suivantes :

• Le roi détient les pouvoirs _____ et religieux du Maroc.

• L'actuel roi _____ a succédé à son père _____.

LE ROYAUME DE BELGIQUE, LE ROI RÈGNE SANS GOUVERNER

Le roi Albert II est le symbole de l'unité de la Belgique.

La Belgique est un royaume parlementaire, c'est-à-dire que le roi règne sans gouverner. Il n'est donc pas, comme au Maroc par exemple, le chef du pouvoir exécutif. La Belgique est dotée d'un Premier Ministre désigné par le Parlement, qui gouverne le pays. Le royaume de Belgique a été fondé en 1831. Cette année-là, le Congrès national (l'Assemblée nationale), qui vient de voter une constitution faisant de la Belgique une monarchie, choisit le prince Léopold de Saxe-Cobourg-Gotha pour devenir roi.

Le roi des Belges est considéré comme le symbole de l'unité du pays, qui est divisé en deux communautés principales, les *Flamands** et les *Wallons**. Il fait des suggestions, donne des conseils, des mises en garde, des avertissements et prodigue des encouragements. L'actuel roi des Belges, Albert II, intronisé en 1993, est le sixième de la dynastie.

LA PRINCIPAUTÉ DE MONACO, LE ROYAUME DU ROCHER

À **Monaco**, qu'on appelle aussi le Rocher, règne une dynastie vieille de plus de 700 ans, appelée dynastie des Grimaldi. Elle est partie de la ville italienne de Gênes à la suite d'une guerre civile commencée en 1270 entre les Guelfes, partisans du Pape, et les Gibelins, partisans de l'empereur romain. Après la victoire des Gibelins, de nombreux Guelfes, parmi lesquels les Grimaldi, ont quitté Gênes pour s'installer sur le rocher de Monaco.

Aujourd'hui, la Principauté de Monaco est un État indépendant et souverain, membre de l'Organisation des Nations Unies. La monarchie est constitutionnelle, c'est-à-dire que le roi est le chef du pouvoir exécutif. Le royaume est dirigé par le prince Albert, qui a succédé à son père le prince Rainier III.

1 Quelle est la principale personnalité qui gouverne la Belgique, et par qui est-elle désignée ?

_____

_____

2 En quelle année a été fondé le royaume de Belgique ?

_____

3 Quel est le nom du premier roi de Belgique ?

_____

4 Quel est le nom de l'actuel roi des Belges, et en quelle année a-t-il été intronisé ?

_____

_____

Saviez-vous que la Principauté de Monaco, qui est un État indépendant, a des liens très particuliers avec la France ? C'est la France qui assure par exemple la défense de son territoire, si elle est attaquée. Dans un domaine comme le football, l'équipe de Monaco évolue dans le championnat français de première division.

5 Depuis combien d'années à peu près la dynastie des Grimaldi est-elle établie à Monaco ?

_____

6 Racontez dans quelles circonstances les Grimaldi ont quitté la ville de Gênes, en Italie.

_____

_____

_____

7 Quelle est la fontion du prince de Monaco ?

_____

8 Quel est le nom de l'actuel prince de Monaco ?

_____

16 La mode

LE PAGNE, L'ÉLÉGANCE AFRICAINE

Dans toute l'Afrique, et principalement en Afrique de l'Ouest, la mode est au tissu en *pagne**. Car le pagne fait de celui qui le porte un Africain soucieux de garder sa culture et ses traditions. Pourtant, la meilleure qualité de pagne n'est pas fabriquée en Afrique. Elle est fabriquée principalement aux Pays-Bas, à partir de dessins africains.

Le pagne est porté sous plusieurs formes. Les femmes le portent sous la forme de tailleur ou de larges robes appelées au Cameroun « kaba ngondo »*. Dans les deux cas, elles s'attachent sur la tête un foulard du même tissu. Les hommes le portent sous forme de boubou ample ou de chemise. Depuis que des grands hommes d'État comme Nelson Mandela se sont mis à la mode du pagne, ce tissu est revenu en vogue parmi les élites africaines, qui l'avaient abandonné pendant un moment. De très grands couturiers africains comme le Burkinabé Pathé'O, installé en Côte d'Ivoire, ou le Nigérien Alphadi, organisent des défilés de pagne dans les plus grandes villes du monde.

Le pagne est le tissu préféré des Africaines. Elles peuvent le coudre sous forme de tailleur ou, comme sur la photo, sous forme de grande robe appelée au Cameroun « kaba ngondo ».

LE BAZIN, FINESSE ET GOÛT

Si les populations d'**Afrique de l'Ouest** aiment porter les vêtements en pagne lors des jours ordinaires, elles n'oublient jamais de garder leurs beaux boubous en *bazin** pour les grandes cérémonies. Le bazin est un tissu coloré qui, de loin, présente un aspect de « papier glacé ». Comment obtient-on un beau tissu bazin ? Il est fabriqué en Europe, à partir du coton. Quand il est acheté par les commerçantes qui le transforment, il est tout blanc. Elles dessinent elles-mêmes les *motifs** qui vont embellir le tissu. Commence alors l'opération de teinture, qui se fait de façon artisanale. Des feuilles d'*indigo** sont pilées et séchées. La pâte obtenue est versée dans un pot en terre, mélangée à de l'eau, et conservée pendant plusieurs jours. Il se produit une fermentation. Le tissu à teindre est lavé puis trempé dans ce mélange. Il est ensuite égoutté, puis retrempé, jusqu'à obtention de la couleur souhaitée. Le bazin, qui est porté le plus souvent sous la forme de boubou ou de tailleur, est considéré par les spécialistes de la mode africaine comme un tissu de luxe.

Saviez-vous que des hommes d'État africains s'habillent de plus en plus souvent en pagne ? C'est le cas de Nelson Mandela ou du Président ivoirien Laurent Gbagbo, habillés par le couturier burkinabé Pathé'O.

1 Que peut signifier le fait de s'habiller en pagne en Afrique ?

_____

_____

2 Dans quel pays fabrique-t-on la meilleure qualité de pagnes ?

_____

3 Sous quelles formes les femmes et les hommes portent-ils les pagnes en Afrique ?

_____

_____

_____

_____

4 Citez deux grands couturiers africains spécialistes du pagne.

_____

5 Décrivez les différentes étapes de la fabrication du bazin.

_____

_____

_____

_____

6 Sous quelles formes est porté le bazin ?

_____

_____

Le « sari » est un vêtement des grands jours. Les femmes le portent lors des fêtes religieuses, ou pour les balades au bord de la mer.

LE « SARI », UN VÊTEMENT « PUR »

À la Réunion, les femmes portent, lors de certaines fêtes religieuses hindoues, un vêtement appelé « sari »*. Le « sari » est une large bande de tissu de 1,20 m de largeur sur
6,10 m de longueur. Il est toujours fait d'une seule pièce, car chez les hindouistes, tout
vêtement cousu ou percé par une aiguille est considéré comme impur. Mais le « sari »
n'est pas porté seul. Généralement, il recouvre un jupon serré et un corsage. Une partie
du ventre est laissée nue. À la Réunion ou à l'île Maurice, où on rencontre une importante communauté indienne, le « sari » est synonyme d'élégance chez les femmes.

LA « DJELLÂBA », BOUBOU DU DÉSERT

Au Maroc, comme dans beaucoup d'autres pays arabes, les populations s'habillent le
plus souvent en « djellâba »*. La « djellâba » du Maroc, comme celles des autres pays
arabes, est une sorte de grand manteau long, qui couvre tout le corps. Mais à la différence de celles d'autres pays, la « djellâba » du Maroc est souvent munie d'un *capuchon**.
La « djellâba » est portée par les hommes et par les femmes. Celle des hommes est plus
sobre, alors que celle des femmes comprend de nombreuses parures. En règle générale, elle n'a aucune couture, mais est ornée de belles broderies. Une « djellâba » sera
d'autant plus belle et chère qu'elle comportera plusieurs broderies de qualité. L'avantage
de la « djellâba », c'est qu'elle recouvre bien tout le corps, sans pour autant l'étouffer,
puisqu'elle est ample. Son inconvénient majeur ? Ceux qui veulent se livrer à des travaux
physiques doivent la retirer, car les manches sont longues et ils courent également le
risque de marcher sur le tissu.

Saviez-vous que l'île Maurice et l'île de la Réunion se composent de plusieurs communautés ?
On y trouve des Blancs descendants d'Européens, des Noirs descendants d'esclaves, des Indiens
et des Chinois qui sont venus peupler cette région au XIXᵉ siècle.

1   **Quelles sont les dimensions du « sari » ?**

_____

_____

2   **Pourquoi le « sari » est-il fait d'une seule pièce ?**

_____

_____

_____

3   **Comment porte-t-on le « sari » ?**

_____

Saviez-vous que le roi du Maroc s'habille le plus souvent en « djelaba » ? Lors des grandes céré-
monies religieuses qu'il préside en sa qualité de chef des croyants, il est vêtu d'une « djellâba » et
d'une « chéchia », un petit bonnet qui recouvre le haut de la tête.

4   **Quelle est la différence entre la « djellâba » du Maroc et celles des autres pays arabes ?**

_____

_____

5   **Qu'est-ce qui fait la différence de qualité entre deux « djellâba » ?**

_____

_____

6   **Citez un avantage et un inconvénient de la « djellâba » :**

• Avantages : _____

• Inconvénients : _____

LE « NAMBA », UN CACHE-SEXE EN NATTES

À Vanuatu, les hommes s'habillent souvent, lors des cérémonies rituelles et initiatiques, d'un simple cache-sexe, qu'ils appellent là-bas «namba»*. Le «namba» est fabriqué à partir des feuilles d'une plante appelée «pandanus», nattées. Les deux premiers groupes ethniques de ce pays s'appellent d'ailleurs les «Grands Nambas»* et les «Petits Nambas»*. Cette différence tient à la taille du «namba» que chacun des deux groupes ethniques porte lors de ses cérémonies rituelles et initiatiques.

Le «namba» est l'habit traditionnel des Aborigènes du Vanuatu. Il est principalement porté lors des cérémonies d'initiation des jeunes.

LE « TAPA », UNE ÉTOFFE EN ÉCORCE

À Tahiti, la plus grande île de la Polynésie française, certains habitants aiment se vêtir à base d'une étoffe qu'on appelle le «tapa»*. Elle est obtenue à partir d'écorce d'arbres de la région de l'Océanie, comme l'arbre à pain ou le banian. Comment fabrique-t-on le «tapa» ? On récolte l'écorce de jeunes troncs d'arbres, qu'on trempe dans de l'eau pendant deux ou trois jours. On enlève de l'écorce sa partie la plus externe, avant de l'étaler sur une enclume qu'on frappe avec du bois solide. Quand la pièce de «tapa» s'est suffisamment amincie, on la sèche, avant de la teindre ou de la décorer. Le «tapa» est considéré comme le tissu traditionnel des Tahitiens et il sert aussi lors de certains rituels mystiques.

Saviez-vous qu'au Vanuatu, pendant leurs rites traditionnels et vêtus de « nambas », les tribus anciennes consomment du « kava », une tisane dont ils raffolent? Le « kava » est considéré comme une substance apaisante pour les Vanuatuans, alors que certains le considèrent comme une drogue dangereuse.

1 Qu'est-ce qu'un « namba » ?

_____

_____

2 À partir de quelle matière est fabriqué le « namba » ?

_____

3 À quoi tient la différence entre l'ethnie « Grands Nambas » et l'ethnie « Petits Nambas » ?

_____

_____

Saviez-vous que la Polynésie française est un ensemble d'îles regroupées en quatre principaux archipels : l'archipel de la Société, l'archipel des Marquises, l'archipel des Australes et l'archipel des Tuamotu ? L'île de Tahiti, qui appartient à l'archipel de la Société, est la plus grande île de la Polynésie française.

4 À partir de quelle matière obtient-on le « tapa » ?

_____

5 Quelles sont les différentes étapes de fabrication du « tapa » ?

_____

_____

_____

6 À part se vêtir, à quoi d'autre sert le « tapa » ?

_____

LES CIVILISATIONS FRANCOPHONES

Les grands cinéastes

SEMBÈNE OUSMANE, LE PIONNIER

Le Sénégalais Sembène Ousmane est considéré comme le plus ancien cinéaste africain. Né en 1923 dans la ville sénégalaise de Ziguinchor, il a eu un parcours original. À 13 ans, il est renvoyé de l'école pour avoir giflé le directeur. Il se lance alors dans les petits boulots, avant de s'engager, pendant la Seconde Guerre mondiale, comme «tirailleur» dans l'armée française. Une dizaine d'années après la guerre, Sembène, qui est déjà connu comme l'un des plus grands écrivains africains, va étudier le cinéma à Moscou, capitale de l'ex-Union soviétique. En 1966, il sort son premier long métrage, dont le titre est *La Noire de...* Dans ce film, il raconte l'histoire d'une jeune femme qui ne supporte plus sa vie au service d'un couple de Français et se suicide. Puis, films et romans vont se succéder, dans lesquels il s'attaque aux plus riches, à ceux qui exploitent les autres. Son dernier film, *Mooladé*, où il traite de la délicate question de l'excision des femmes en Afrique, a reçu le prix Un certain regard au Festival de Cannes en 2004.

Sembène Ousmane est considéré comme le premier grand cinéaste d'Afrique noire.

SOULEYMANE CISSÉ, UN CINÉASTE ENGAGÉ

Le Malien Souleymane Cissé est l'un des plus grands cinéastes africains. Formé à Dakar et à Moscou, il commence par réaliser des documentaires avant de passer aux longs-métrages. Puis, au début des années 1970, il sort le film *Den muso* («La jeune fille»), dans lequel il raconte la vie d'une jeune fille muette qui, violée, tombe enceinte. Ce premier long métrage est interdit par les autorités maliennes et Souleymane Cissé est jeté en prison. D'autres films suivront, dont *Yeelen* («La lumière»), en 1987, qui a été récompensé cette année-là par le Prix du jury au Festival de Cannes. Dans ce film, il raconte l'histoire d'un jeune garçon qui, en franchissant tous les obstacles à l'acquisition du savoir, passe de l'obscurité à la lumière.

1 À quel âge Sembène Ousmane est-il renvoyé de l'école ?

_____

2 Dans quel pays Sembène Ousmane étudie-t-il le cinéma ?

_____

_____

3 Quel est le titre de son premier film, et quel en est le thème ?

_____

_____

4 Quel prix a reçu _Mooladé,_ son dernier film ?

_____

5 Dans quelles villes Souleymane Cissé a-t-il reçu sa formation de cinéaste ?

_____

6 Quel est le titre de son premier long-métrage, et de quoi parle-t-il ?

_____

_____

_____

7 Que veut dire _Yeelen,_ le titre de son second film, et de quoi parle-t-il dans ce film ?

_____

_____

_____

8 Quel est le prix reçu par ce film ?

_____

IDRISSA OUÉDRAOGO, GRAND PRIX DE CANNES

Le Burkinabé Idrissa Ouédraogo est l'Africain francophone, du sud du Sahara, dont les films ont connu le plus de succès en Occident. En 1990, son film *Tilaï* a remporté le Grand Prix du jury du Festival de Cannes. Un an plus tôt, *L'Histoire de Yaaba* lui avait valu le Prix de la critique de ce même festival. Diplômé de l'Institut africain d'Études cinématographiques de Ouagadougou, la capitale du Burkina Faso, il tourne son premier court-métrage, intitulé *Poko*, à sa sortie de l'école. En 1987, il boucle son premier long-métrage, *Yam Daabo*, qui recevra une critique très favorable. Depuis quelques années, il tourne beaucoup pour la télévision, sur des thèmes comme le sida, qui fait des ravages aujourd'hui dans la société africaine.

YOUSSEF CHAHINE, CINEASTE SUBVERSIF

L'Égyptien Youssef Chahine est le cinéaste africain et arabe le plus connu en Occident. C'est en 1950 qu'il a tourné son premier film, intitulé *Papa Amin*. Il enchaînera avec *L'Aube d'un jour nouveau* (1964), *Le Choix* (1970), *Le Moineau* (1973)… Dans ses films, Chahine raconte la société dans laquelle il vit. C'est pourquoi on a qualifié son cinéma de «narratif». Il en profite pour aborder les problèmes qui minent l'Égypte, tels que la corruption, la montée de l'islamisme, etc. Cela lui vaudra d'ailleurs d'aller en prison en 1984, pour diffusion d'un film interdit par la censure. Tout récemment, Chahine, qui a étudié le cinéma aux États-Unis, a réalisé un film sur les attentats du 11 septembre 2001 à New York.

Les films de Youssef Chahine ont souvent été censurés dans son pays, parce qu'il parlait des problèmes qui minent la société égyptienne.

Saviez-vous que Ouagadougou, la capitale du Burkina Faso, accueille tous les deux ans le plus grand festival de cinéma d'Afrique? Ce festival est appelé Fespaco (Festival panafricain des arts et de la culture de Ouagadougou). Le prix le plus important remis lors de ce festival est « L'Étalon d'or ».

1 Quel prix a remporté *Tilaï* de Idrissa Ouédrogo?

_____

2 Quel a été le prix remporté un an plus tôt par *L'Histoire de Yaaba*?

_____

3 Dans quel établissement Idrissa Ouédraogo a-t-il suivi ses études de cinéma?

_____

4 Quel est le titre de son premier long-métrage?

_____

5 En quelle année Youssef Chahine a-t-il tourné son premier long-métrage et quel en était le titre?

_____

_____

6 Citez trois autres films de Youssef Chahine:

_____

_____

_____

7 Pourquoi qualifie-t-on le cinéma de Youssef Chahine de « cinéma narratif »?

_____

_____

8 Quelle grande tragédie a inspiré le tournage du dernier film de Youssef Chahine?

_____

ANDRÉ DELVAUX, DANS LA COUR DES GRANDS

Le réalisateur **belge** André Delvaux est considéré comme l'un des pères du cinéma belge. Né en 1926, il fait tourner ses premiers films en 16 millimètres par ses élèves, en 1956. La consécration viendra en 1966, avec son premier long-métrage intitulé *L'homme au crâne rasé*. Suivront *Un soir, un train* (1968), *Rendez-vous à Bray* (1971), *Belle* (1973), *Femme entre chien et loup* (1979), *Benvenuta* (1983), *Babel-Opéra* (1985) et *L'œuvre au noir* (1988). André Delvaux était devenu, au fil du temps, l'un des grands spécialistes du cinéma européen, invité dans presque tous les lieux où se débattait l'avenir du septième art. Il est mort le 4 octobre 2002 à Valence, en Espagne, après avoir prononcé un important discours sur le cinéma, lors de la Rencontre mondiale des arts qui avait lieu dans cette ville.

André Delvaux est l'un des pères du cinéma francophone belge.

DENYS ARCAND, LE CINÉASTE MILITANT

Denys Arcand est l'un des cinéastes **québécois** les plus célèbres. Invité plusieurs fois au Festival de Cannes, en France, il est connu pour réaliser des films toujours très engagés. En 1962, il co-réalise *Seul ou avec d'autres*, dans lequel il dénonce l'injustice dont sont victimes des Québécois qui collaborent à la revue *Parti-pris*, qui prône l'indépendance du Québec. Dans *On est au coton*, tourné en 1969-1970, il dénonce les conditions de travail difficiles des Francophones dans les usines de textile du sud du Québec. Ce film sera d'ailleurs censuré pendant quelque temps, par l'Office national du film du Canada. Ensuite, toujours en conservant sa fibre militante, il réalisera *Québec: Duplessis et après…* (1972), *La Maudite Galette* (1972), *Réjeane Padovani* (1973), *Gina* (1975), *Le Crime d'Ovide Plouffe* (1984), *Le Déclin de l'empire américain* (1986), *Jésus de Montréal* (1988), *De l'amour et des restes humains* (1994).

ACTIVITÉS

1 En quelle année et par qui André Delvaux fait-il tourner ses premiers films ?

_____

2 Quel est le titre de son premier long-métrage ?

_____

3 Citez cinq autres films d'André Delvaux :

_____

_____

_____

4 Dans quelle ville et en quelle année est mort André Delvaux, et que faisait-il dans cette ville ?

_____

_____

5 Pourquoi Denys Arcand est-il décrit comme un cinéaste militant ?

_____

_____

6 De quoi parle-t-il dans le film _Seul ou avec d'autres_ ?

_____

_____

7 De quoi parle-t-il dans _On est au coton_ ?

_____

_____

8 Citez cinq autres films de Denys Arcand :

_____

_____

_____

18 Les grands écrivains

SENGHOR, POÈTE ET HOMME POLITIQUE

Décédé en décembre 2001, **le Sénégalais** Léopold Sédar Senghor est le poète africain le plus célèbre. Premier Africain agrégé de lettres, il s'est fait remarquer pour la première fois en publiant en 1945 un recueil de poèmes intitulé *Chants d'ombre*. D'autres recueils suivront : *Hostie noires* (1948), *Éthiopiques* (1956), *Nocturnes* (1961), *Lettres d'hivernage* (1971). Dans ses poèmes, Senghor réhabilite les valeurs culturelles africaines. Il a créé, avec son ami Aimé Césaire, le concept de *négritude**, qu'ils ont défini comme l'ensemble des caractéristiques culturelles et historiques des peuples noirs, qu'ils soient africains ou descendants d'anciens esclaves. Senghor et Césaire recommandent à ces peuples d'être fiers de ces caractéristiques.

Léopold Sédar Senghor a aussi mené une importante carrière politique. De 1960 à 1980, il a été le premier Président de la République du Sénégal (voir aussi p. 10).

MONGO BÉTI, UN ÉCRIVAIN ENGAGÉ

Le Camerounais Mongo Béti, de son vrai nom Alexandre Biyidi Awala, décédé en octobre 2001, a été pendant toute sa vie un écrivain engagé contre la colonisation et les pouvoirs africains qui ont suivi cette période. Il a commencé à dénoncer cette colonisation dès son premier roman, intitulé *Ville cruelle*, paru en 1954. Il a signé ce roman sous le pseudonyme d'Eza Boto, Eza venant du patronyme du poète engagé américain Ezra Pound, qu'il admirait beaucoup. Dans ce roman, il raconte la misère matérielle et morale des Africains pendant la colonisation.

Après les indépendances des pays d'Afrique, en 1960, il s'en prend aux nouveaux dirigeants africains, qu'il qualifie de « dictateurs ». Il publie en 1972 *Main basse sur le Cameroun*, un livre qui sera interdit en France et qui lui vaudra de passer plusieurs années en exil. En 1991, après l'instauration d'un système démocratique, il regagne le Cameroun où, jusqu'à sa mort, il sera considéré comme l'un des plus farouches opposants au pouvoir en place.

Mongo Béti a passé plus de 30 ans en exil en France. Ce n'est qu'en 1990 qu'il a pu regagner le Cameroun, avant de mourir en 2001.

1 En quelle année est décédé Léopold Sédar Senghor?

_____

2 Quel est le titre de son premier recueil de poèmes?

_____

3 Citez quatre autres recueils de poèmes écrits par lui:

_____

_____

4 Comment définit-il le concept de négritude?

_____

5 Quelle fonction politique importante a-t-il occupée dans son pays?

_____

6 Quel est le vrai nom de Mongo Béti?

_____

7 En quelle année est-il décédé?

_____

8 Quel est le titre de son premier roman et de quel sujet traite-t-il?

_____

9 Comment qualifie-t-il les premiers chefs d'État africains, qui ont pris le pouvoir après la colonisation?

_____

_____

10 Que lui vaudra la publication de son livre _Main basse sur le Cameroun_?

_____

AIMÉ CÉSAIRE, NOIR ET FIER DE L'ÊTRE

Le Martiniquais Aimé Césaire est l'un des tout premiers écrivains et poètes noirs. En 1934, avec ses amis sénégalais Sédar Senghor et Birago Diop ainsi que le Guyanais Léon Gontran Damas, il a fondé la revue *L'Étudiant noir*, dans laquelle apparaît pour la première fois le mot «négritude»*. Par ce mot, Césaire veut attirer l'attention des Noirs sur une situation qu'il observe de plus en plus : le rejet de la culture nègre par les Noirs, pour adopter celle des Blancs.

Deux ans après la fondation de *L'Étudiant noir*, Aimé Césaire publie l'une des plus grandes œuvres de la poésie noire, intitulée *Cahiers d'un retour au pays natal*. Plus tard, il publiera d'autres œuvres, dont les plus connues sont : *Armes miraculeuses* (1944), *Discours sur le colonialisme* (1950). Pendant plus de 50 ans, Césaire, en retraite aujourd'hui, sera à la fois député de Martinique à l'Assemblée nationale française et maire de la ville de Fort-de-France, le chef-lieu de la Martinique.

Aimé Césaire est l'un des plus grands écrivains noirs. Il a aussi été pendant plus de 50 ans le principal homme politique de son île, la Martinique.

NAGUIB MAHFOUZ, LE « ZOLA DU NIL »

L'Égyptien Naguib Mahfouz est le premier écrivain arabe à avoir reçu le prix Nobel de littérature. C'était en 1988. Certains l'ont surnommé le «Zola du Nil» car, comme l'écrivain français Émile Zola, il aime dépeindre, dans ses romans, la vie des personnes les plus pauvres. En Égypte, Naguib Mahfouz bouscule parfois les tabous. Il n'hésite pas à parler des problèmes de société comme l'émancipation de la femme ou l'islamisme, ce qui lui attire parfois le courroux de certaines autorités religieuses. Ses romans les plus connus sont : *Le passage des miracles* (1947), *Vienne la nuit* (1949), *Miramar* (1967), *La Route* (1967), *Miroirs* (1972).

1 Avec quels autres écrivains Aimé Césaire a-t-il fondé la revue *L'Étudiant noir* ?

_____

2 Quel combat mènent Césaire et ses amis, à travers cette revue ?

_____

_____

3 Quel est le titre du premier recueil de poèmes de Césaire ?

_____

4 Citez deux autres œuvres de Césaire :

_____

5 Quelles sont les fonctions politiques que Césaire a occupées ?

_____

_____

6 Quel est le principal prix obtenu par Naguib Mahfouz ?

_____

7 En quelle année l'a-t-il obtenu ?

_____

8 Pourquoi certains l'ont-ils surnommé le « Zola du Nil » ?

_____

9 Citez deux problèmes de société qu'aborde parfois Naguib Mahfouz dans ses romans :

_____

10 Citez cinq romans écrits par Mahfouz :

_____

GEORGES SIMENON, LE ROI DU ROMAN POLICIER

Georges Simenon, mort en 1989, est le plus célèbre des romanciers **belges**. Il aura été l'auteur de plus de 200 romans sous 17 pseudonymes différents. Son pseudonyme préféré est Jean Du Perry. Mais Simenon est surtout connu pour avoir inventé le personnage de Maigret, un commissaire de police, qui a été adapté à l'écran dans plusieurs pays. Le commissaire Maigret est un personnage très intègre, d'un physique imposant et toujours la pipe à la bouche. Il sait observer les hommes, les traquer et les sonder jusqu'à obtenir chaque fois la vérité, sans violence ni tricherie. Quatre-vingts *Maigret* en tout ont été écrits par Simenon, qui a aussi composé d'autres romans tels que, par exemple, *Les Treize coupables*, *Les Treize énigmes* et *Les Treize mystères*, écrits en 1932.

Georges Simenon est célèbre pour avoir inventé le personnage de Maigret, qui a été adapté à l'écran dans plusieurs pays.

ANTONINE MAILLET, LA TOUCHE ACADIENNE

Antonine Maillet est l'une des auteures les plus célèbres du **Canada francophone**. En 1979, elle a reçu le prix Goncourt avec son roman *Pélagie la Charrette*. Ses autres romans célèbres sont : *Par derrière chez mon père* (1972) et *Les Cordes-de-bois* (1977). Elle est aujourd'hui l'auteur de plus d'une trentaine de romans, pièces de théâtre, recueils de contes…

Antonine Maillet est aussi connue pour son action en faveur de la conservation des valeurs acadiennes. Elle est également une grande militante de la Francophonie. En 1994, lors du premier congrès mondial des Acadiens tenu au Nouveau-Brunswick, elle fut l'une des invitées de marque et elle a dit ceci, lors de la cérémonie d'ouverture : « L'Acadie a besoin de dire ce qu'elle est, qu'elle fait partie du Canada, qu'elle fait partie de l'Amérique, qu'elle fait partie de la Francophonie du monde entier et que, par conséquent, elle a sa place dans le monde, et que cette place-là est unique comme chaque peuple au monde. »

1 En quelle année est décédé Georges Simenon ?

2 Quel était son pseudonyme préféré ?

3 Qui est le personnage Maigret ?

4 Citez trois autres romans écrits par Simenon :

5 Quel est le prix reçu par le roman *Pélagie la Charrette* d'Antonine Maillet ?

6 Citez deux autres de ses romans célèbres :

7 Combien d'œuvres Antonine Maillet a-t-elle écrites ?

8 Selon vous, que veut dire Antonine Maillet dans le discours qu'elle a prononcé lors du premier Congrès mondial des Acadiens ?

Lexique

A

Acadiens (n. pl.): francophones du Nouveau-Brunswick. Ils sont en fait des descendants de Français qui ont immigré au Canada vers le XVIe siècle.

Accent (n. m.): influence régionale sur une langue.

Accordéon (n. m.): instrument de musique portant un clavier de 6 à 21 touches.

Aka (ou **Baka**) (n. pl.): ethnie pygmée qu'on trouve principalement au Cameroun, au Gabon, au Congo et en République centrafricaine. Au Rwanda, on trouve une autre ethnie pygmée appelée les «Twa».

Akan (n. pl.): groupe ethnique qu'on trouve principalement à l'Ouest de la Côte d'Ivoire. S'étend jusqu'aux Ghana, Togo et Bénin voisins.

Alouites (n. pl.): dynastie fondée au XVIIe siècle par Moulay Rachid, au Maroc.

Ancêtre (n. m.): désigne généralement les personnes âgées décédées il y a plusieurs années, censées veiller sur le reste de la communauté encore en vie.

Angkor: cité royale du Cambodge visitée par de nombreux touristes.

Arioi (n. pl.): secte religieuse tahitienne.

Arlequins (n. pl.): société* constituée de personnes qui défilent en costume traditionnel lors du carnaval de la ville de Binche, en Belgique.

Assiko (n. m.): danse et rythme musical créés au Cameroun.

Araméen (n. m.): langue ancienne parlée dans presque toute la région du Moyen-Orient au début de notre ère.

Awalé (n. m.) (ou «**Jeu de six**», «**Adjito**»): jeu de société en Afrique de l'Ouest.

B

Baccou (n. m.): chants puissants et mystiques entonnés par les lutteurs traditionnels sénégalais avant de débuter leur combat.

Bakongos (n. pl.): ethnie qu'on trouve au Congo-Brazzaville et en République démocratique du Congo.

Bal à terre (n. m.): séquence de danse du rythme musical «makossa»*.

Bambara (n. pl.): ethnie qu'on trouve au Mali.

Bambou (n. m.): tige peu épaisse souvent creuse au milieu, mesurant plusieurs mètres et poussant dans les régions tropicales.

Bana-bana (n. pl.): vendeurs au détail au Sénégal.

Bananier (n. m.): plante haute constituée d'un tronc et de grandes feuilles et produisant un régime de bananes.

Banga (n. m.): petite case de Mayotte destinée à accueillir les jeunes adolescents.

Bangalas (n. pl.): ethnie qu'on trouve au Congo-Brazzaville et en République démocratique du Congo.

Banjo (n. m.): instrument de musique constitué de 4 ou 5 cordes, équipé d'une peau de résonance et utilisé souvent pour jouer des folklores irlandais, du blues* ou de la biguine*.

Bantous (n. pl.): groupe sociologique africain proche et descendant des Pygmées*, qu'on trouve principalement dans la partie centrale et sud de l'Afrique.

Baryam (n. m.): nom venu de Turquie, donné aux deux principales fêtes religieuses musulmanes en Égypte. Ces fêtes sont le «grand baryam»* et le «petit baryam»*.

Bassa (n. pl.): ethnie installée au centre du Cameroun.

Battambang : ville de l'Ouest du Cambodge ; certains de ses sanctuaires comme ceux de la colline de Phnom Banon construits entre les XIIᵉ et XIIIᵉ siècles constituent des hauts lieux de l'identité khmère.

Bayamsellam (n. f.) : revendeuses des produits vivriers au Cameroun.

Baye-fall (n. m.) : jeunes apprenants mourides* au Sénégal, qui vivent le plus souvent de la mendicité.

Berbères (n. pl.) : important groupe ethnique qu'on trouve principalement en Afrique du Nord.

Béti (n. pl.) : groupe ethnique qu'on trouve au Sud du Cameroun, au Nord du Gabon et en Guinée équatoriale. Parmi les Béti, on trouve des ethnies comme les Éwondo, les Éton, les Boulou, les Fang, etc. Les Béti font partie du grand groupe sociologique bantou d'Afrique noire.

Bible belt (n. f.) : en français « ceinture de la Bible ». Elle désigne un certain nombre d'États du sud des États-Unis où les mouvements religieux chrétiens sont très présents et importants.

Biguine (n. f.) : danse et rythme musical créés aux Antilles.

Bikutsi (n. m.) : danse et rythme musical créés au Cameroun. En français, « bikutsi » veut dire « frappons le sol ».

Blues (n. m.) : danse d'origine africaine aujourd'hui classifiée comme danse latine et nord-américaine. Elle s'est développée en Amérique du Nord au début du XXᵉ siècle et était connue en Europe à partir de 1920.

Bobre (n. m.) : instrument de musique à percussions servant à jouer le « séga »*.

Bouddhisme (n. m.) : doctrine religieuse fondée en Inde.

Bouddha : surnom donné à Siddhârta Gautama, le fondateur du Bouddhisme*. « Bouddha » veut dire « éveillé ».

Boun pimay (n. m.) : fête du Nouvel an au Laos. On l'appelle également « fête du cinquième mois ».

Bruxellois (n. m.) : désigne les habitants de Bruxelles, la capitale de la Belgique. Mais peut aussi désigner une partie des francophones de Belgique.

Buddy Bolden (1877-1930) : est considéré comme le créateur du jazz moderne.

C

Cabane (n. f.) **à sucre** : désigne une maison emménagée en pleine campagne du Québec, dans laquelle ont fait des « érablières »*. De plus en plus, dans les villes québécoises, ce nom est donné à des cafés dans lesquels on peut consommer du sirop d'érable.

Cajuns (n. pl.) : anciens Acadiens* chassés du Canada et installés en Louisiane, aux États-Unis.

Caldoches (n. m.) : populations de Nouvelle-Calédonie, d'origine européenne.

Calife (n. m.) : chef musulman censé descendre directement du fondateur de cette religion, Mahomet.

Capuchon (n. m.) : petit chapeau directement cousu sur un habit.

Car (n. m.) : véhicule de plus d'une dizaine de places servant exclusivement au transport des personnes et des marchandises.

Carême (n. m.) : période de quarante jours précédant la fête de Pâques chez les Chrétiens. Pendant cette période, ils ne pouvaient consommer aucun aliment d'origine animale (au Moyen Âge).

Case (n. f.) : habitat des villages en Afrique, fait le plus souvent d'une seule pièce.

Caste (n. f.) : classe sociale fermée regroupant des personnes partageant, dans les cas de l'Afrique, la même activité.

Cayotinh (n. m.) : technique de recherche d'or en Guyane française.

Cérémonie traditionnelle (n. f.) : voir « tradition ».

Chaldéens (n. pl.) : communauté catholique qu'on trouve principalement en Syrie et au Liban, évangélisée en l'an 53 par un disciple de Jésus appelé Saint-Thomas. On les appelle aussi des « Assyro-chaldéens ».

Chameau (n. m.) : mammifère de la famille des camélidés ayant deux bosses sur le dos. Dans les usages en Afrique, on ne fait pas de distinction entre chameau et dromadaire.

Champ (n. m.) : désigne en Afrique une parcelle de terre généralement assez réduite cultivée par une famille. La production est très faible.

Chaouias (n. pl.) : ethnie ou tribu berbère en Algérie.

Chasseur (n. m.) : dans le contexte africain, personne vivant exclusivement de la chasse. La chasse n'est donc pas pour lui, comme c'est devenu le cas en Occident, une activité de divertissement.

Chaume (n. f.) : partie de la tige de céréales qui reste sur pied après la moisson. Sert dans certaines régions d'Afrique à fabriquer des toitures de maisons.

Chevreuil (n. m.) : petit animal ruminant qu'on trouve dans les savanes.

Chiites (n. pl.) : branche de l'Islam constitué des descendants du quatrième calife* de cette religion, nommé Ali. Ses principaux lieux saints se trouvent en Iran et en Iraq.

Civette (n. f.) : mammifère carnivore au pelage gris jaunâtre taché de noir.

Claie (n. m.) : tapis de feuille sur lequel les Pygmées* peuvent disposer leurs aliments.

Clan (n. m.) : désigne généralement une vaste tribu dont les membres se réunissent régulièrement.

Clarinette (n. f.) : instrument de musique inventé en Allemagne au tout début du XVIIIᵉ siècle, basé sur un instrument, le chalumeau, auquel on a rajouté deux clefs permettant ainsi d'augmenter l'étendue des tonalités.

Confrérie (n. f.) : communauté organisée au sein d'une grande religion (souvent l'Islam) dont elle respecte les principes fondamentaux en y ajoutant ses propres pratiques.

Cora (n. f.) : instrument de musique à corde d'Afrique de l'Ouest.

Couper-décaler (n. m.) : variante de la musique « zouglou » créée par des jeunes en Côte d'Ivoire.

Créole (n. m.) : langue parlée dans la Caraïbe, le Pacifique et l'océan Indien, créée à partir d'un mélange de langues européennes, africaines et locales.

Croyant (n. m.) : qui croit en Dieu. Dans le cas spécifique de l'Islam, il s'agit d'un nom que se donnent les musulmans.

Cyclo-pousse (n. m.) : vélo à trois roues qu'on trouve principalement en Asie.

D

Darbouka (n. f.) : instrument de musique à percussion en terre cuite ayant une forme de gobelet à base ouverte. La peau sur laquelle on tape peut être aussi bien de la peau de chèvre que de la peau de poisson. Elle est collée sur les bords puis tendue par des petits fils tressés.

Dioula (n. pl.): aujourd'hui, s'emploie le plus souvent pour parler d'une ethnie originaire du Nord de la Côte d'Ivoire. Dans le passé, désignait la caste* des commerçants dans les sociétés traditionnelles d'Afrique de l'Ouest.

Djailco la mabélé (n. m.): étape du mariage comorien pendant laquelle des femmes font du bruit en route.

Djellâba (n. f.): grand boubou porté généralement dans les pays arabes.

Djéléo (n. m.): étape du mariage comorien pendant laquelle le marié distribue de l'argent et de la nourriture aux habitants du quartier.

Djembé (n. m.): tambour à peau de chèvre ou d'antilope que l'on joue à mains nues pour accompagner la musique africaine. Le «djembé» est un des instruments de base de la musique d'Afrique de l'Ouest. Il est très demandé par les touristes qui se rendent sur cette partie de ce continent.

Djoro (n. m.): rite initiatique chez les Lobi* au Burkina Faso.

Dromadaire (n. m.): mammifère proche du chameau*, avec une seule bosse sur le dos.

E

Écureuil (n. m.): petit mammifère rongeur à la queue longue qui vit dans les bois.

Écurie (n. f.): organisation formant de grands sportifs, pour pouvoir défendre ses couleurs lors des compétitions.

Édit (n. m.) **de Nantes**: traité par lequel un ancien roi de France, Henri IV (1553-1610), accorda en 1598 aux protestants le droit de pratiquer librement leur religion.

Église catholique romaine: branche du christianisme dépendant de l'État du Vatican, installé à Rome.

Encens (n. m.): substance qui brûle en répandant une odeur assez forte.

Érablière (n. f.): fabrication d'un sirop de sucre à partir de la sève d'un arbre que l'on trouve dans la forêt québécoise et qui est appelé érable.

F

Fangs (n. pl.): ethnie du groupe béti*, que l'on rencontre principalement au Nord du Gabon et en Guinée équatoriale.

Famorana (n.m.): cérémonie de circoncision à Madagascar.

Famadihana (n. m.). cérémonie rituelle d'exhumation des morts à Madagascar.

Fanorona (n. m.). jeu de société malgache.

Fenouil (n. f.): plante aromatisée qui sert de condiment.

Feuille (n. m.) **de coco**: feuille issue des branches de cocotier ou de palmier.

Flamand (n. m.): terme désignant un Néerlandophone de Belgique. Flamand, flamande (adj.).

Fon (n. pl.): ethnie qu'on trouve au Bénin.

Forgeron (n. m.): artisan travaillant le fer.

Foul (n. m.): plat culinaire égyptien.

Fufu (n. m.): couscous fait à base de farine de manioc* principalement consommé au Congo.

Funk (n. f.): variante du jazz dont les créateurs sont les musiciens américains James Brown et son bassiste Bootsy Collins.

G

Gbaka (n. pl.): car de transport urbain en Côte d'Ivoire.

Gilles (n. pl.): société* constituée de personnes qui défilent en costumes traditionnels lors du carnaval de la ville de Binche, en Belgique.

Grand baryam (n. m.) ou « ayd al-kebir » : fête pendant laquelle tout musulman qui en a les moyens, doit faire égorger un mouton pour la consommation de ses proches.

Grand Dérangement (n. m.): déplacement violent en bateau, de nombreux Acadiens*, en 1755, du Nouveau-Brunswick actuel vers la Louisiane (États-Unis).

Grands Lacs africains : région d'Afrique centrale et de l'Est regroupant la Tanzanie, l'Ouganda, le Rwanda, le Burundi et la République démocratique du Congo. On y trouve de nombreux lacs, parfois volcaniques.

Grand magal (n. m.): pèlerinage des adeptes du mouridisme* qui se déroule tous les ans au Sénégal.

Grands Nambas (n. pl.): groupe ethnique qu'on trouve à Vanuatu.

Grand tintamarre (n. m.): fête nationale de la province du Nouveau-Brunswick, au Canada, pendant laquelle les Néo-Brunswickois font beaucoup de bruit.

Gong (n. m.): instrument de percussion composé le plus souvent d'un plateau de métal, sur lequel on frappe avec un bâton.

Goorgolu (n. m.) : mot wolof* utilisé au Sénégal pour désigner un « débrouillard ».

Grenier (n. m.): désigne un endroit aménagé pour garder une partie des récoltes, qu'on consommera pendant la saison sèche.

Gri-gri (n. m.) : nom donné en Afrique aux porte-bonheur vendus par les sorciers.

Griot (n. m.) : chanteur et amuseur public dans la société traditionnelle ouest-africaine.

H

Hira gasy (n. m.): musique malgache dansée pendant les cérémonies de « famadihana »*.

Heua duan (n. m.): bateau rapide faisant du transport en commun, qu'on trouve principalement au Laos.

Heua wai (n. m.): bateau faisant du transport en commun, qu'on trouve surtout au Laos.

Heiva (n. m.) : spectacle de danses et de chants à Tahiti.

Ho (n. m.): désigne la première particule des noms vietnamiens.

Huile de palme : huile qu'on trouve principalement dans les pays tropicaux, extraite à partir des fruits d'un palmier.

Homonymes (n. pl.) : dans les usages africains, désigne deux personnes de la même famille portant le même nom, en raison du souhait des parents.

Hutte (n. f.) : petite case* faite d'une seule pièce et servant d'habitat à certaines populations des forêts tropicales.

Hutu (n. pl.) : groupe physique ou ethnie qu'on trouve au Rwanda et au Burundi.

I

Igname (n. m) : racine ou tubercule cultivée dans les pays tropicaux.

Impôt (n. m.) (ou *taxe*) : prélèvement obligatoire opéré par un État sur des entreprises, des marchandises ou des personnes physiques.

Imazighen (n. m.): nom que les Berbères se sont donné. Ce mot veut dire « hommes nobles ».

Incinérer (v.): détruire un cadavre par le feu et récupérer ses cendres.

Indigo (n. m.) : plante servant à teindre les vêtements.

J

Jackass musique : veut dire « musique d'âne », et serait à l'origine de « jazz »*.

Jaja (n. m.) : mot utilisé par certains Américains pour dire « danser », et qui serait à l'origine de « jazz »*.

Jasi (n. m.) : mot utilisé par certains Américains pour dire « excité », et qui serait à l'origine de « jazz »*.

Jazz (n. m.) **africain** : voir la « rumba zaïroise »*.

Jazz (n. m.) **congolais** : voir la « rumba zaïroise »*.

Jours Gras : il s'agit du lundi, mardi et mercredi précédant le mercredi des cendres, qui marque le début du carême* chez les Chrétiens.

K

Kaba ngondo (n. m.) : vêtement ample cousu avec du pagne* principalement porté par les femmes au Cameroun.

Kabyles (n. pl.) : ethnie ou tribu berbère en Algérie.

Kampuchéa (n. m.) : nom à l'origine de Cambodge.

Kanak(s) ou **Canaque(s)** (n. pl.) : groupe ethnique de Mélanésiens* originaires de Nouvelle-Calédonie.

Kassav (n. pl.) : groupe de musique antillais qui a rendu populaire la musique « zouk »*.

Khan nam (n. m.) : affluent du fleuve Mékong* au Laos

Khao kam (n. m.) : boisson alcoolisée du Laos.

Khat (n. m.) : feuilles aux vertus hallucinogènes mâchées à longueur de journée par beaucoup de Djiboutiens.

Khène (n. m.) : instrument de musique du Laos comportant de 16 à 18 tuyaux en roseau montés sur un support en bois, lequel retient l'air qu'envoie l'interprète. Il sonne à peu près comme un harmonium.

Khmers (n. pl.) : populations originaires du Cambodge.

Kiswahili (n. m.) : langue parlée en Afrique de l'Est.

Kong-thom (n. m.) : instrument de musique cambodgien comprenant un certain nombre de petits gongs* disposés horizontalement sur un cadre circulaire au milieu duquel s'assied le musicien.

Kwanga (n. m.) : forme de gâteau fabriqué à partir de farine de manioc* qu'on trouve principalement au Congo.

L

Laap (n. m.) : plat culinaire laotien.

Lamb (n. m.) : lutte traditionnelle sénégalaise.

Lampe-tempête (n. f.) : une ampoule éclairante, protégée par une petit arsenal dans lequel on dispose la source d'énergie (le plus souvent du pétrole).

Langues austronésiennes : issues de régions allant du Pacifique à l'Asie du Sud-Est.

Langue véhiculaire : le plus souvent un mélange de plusieurs langues. La langue véhiculaire est parlée par plusieurs communautés dans le but de faciliter les échanges.

Lam vong (n. m.) : danse traditionnelle créée au Laos, aussi appelée « danse en rond ».

Lao (n. m.) : rite initiatique des jeunes de l'ethnie sara* au Tchad.

Laodalé (n. m.): nom donné à certains jeunes initiés de l'ethnie sara* au Tchad.

Lao lao (n. m.): boisson alcoolisée du Laos.

Lao loum (n. m.): tribu du Laos qui pratique la danse dite des trois tribus.

Lao soung (n. m.): tribu du Laos qui pratique la danse dite des trois tribus.

Lao theung (n. m.): tribu du Laos qui pratique la danse dite des trois tribus.

Lap-lap (n. m.): principal plat culinaire des populations mélanésiennes* de Vanuatu.

Lime (n. f.): fruit ressemblant beaucoup au citron dont on extrait un jus amer (jus de lime).

Lingala (n. m.): langue bantoue parlée par les Bangalas* au Congo-Brazzaville et en République démocratique du Congo.

Lobi (n. pl.): ethnie qu'on trouve principalement au Sud-Ouest du Burkina Faso.

Louis Armstrong (1900-1971): est considéré comme le musicien de jazz le plus populaire.

Long tom (n. m.): technique de recherche d'or en Guyane française.

M

Madjilisse (n. m.): étape du mariage comorien pendant laquelle on annonce les dates des cérémonies.

Magic System (n. pl.): groupe de musique « zouglou »* parmi les plus connus de Côte d'Ivoire.

Mahayana (n. m.): forme de Bouddhisme pratiquée principalement en Chine et au Vietnam. Tout pratiquant de cette forme de Bouddhisme peut devenir un « bouddha », c'est-à-dire un « illuminé ». On l'appelle également « grand véhicule », ou « dai thua » au Vietnam.

Mahr (n. m.): terme désignant la dot chez les Berbères.

Makossa (n. m.): danse et rythme musical créés au Cameroun.

Malavoi: groupe de musique antillais jouant le rythme « zouk »*.

Mandingues (n. pl.): groupe ethnique qu'on trouve en Afrique de l'Ouest. Il rassemble des ethnies comme les Dioula*, les Bobo du Burkina Faso, etc.

Manioc (n. m.): grosse racine qu'on trouve principalement dans les zones tropicales.

Marantacée (n. f.): plante tropicale qu'on trouve principalement en Afrique et en Amérique.

Mapakaté (n. m.): terme à l'origine du nom « mapouka »*. Ce mot veut dire « mettre en ordre une maisonnée ».

Mapouka (n. m.): danse et rythme musical créés en Côte d'Ivoire.

Maquis (n. m.): nom donné aux restaurants et cafés en Côte d'Ivoire et, de plus en plus, dans toute l'Afrique de l'Ouest.

Mauvais sort: en Afrique, désigne une forme de malédiction qu'on peut vous transmettre, et qui vous empêchera de réaliser favorablement tout ce que vous entreprendrez.

Mardi gras: dans la tradition chrétienne, le mardi qui précède le début du carême*. Il fait partie des Jours Gras*.

Marins (n. pl.): société* constituée de personnes qui défilent en costumes traditionnels lors du carnaval de la ville de Binche, en Belgique.

Mascareignes (n. pl.): nom donné à l'île de la Réunion et à l'île Maurice en souvenir du navigateur portugais qui a découvert ces deux îles au XVIe siècle, Pedro de Mascarenhas.

Mbaïlao (n. m.): nom donné à certains jeunes initiés de l'ethnie sara* au Tchad. Ce nom peut leur conférer des attributs de chef.

Mbalax (n. m.): danse et rythme musical créés au Sénégal.

Mecque (La) (n. f.): principal lieu saint de l'Islam sunnite. Se trouve en Arabie Saoudite.

Méharées (n. pl.): courses de chameaux dans le désert d'Afrique du Nord.

Mékong (n. m.): fleuve d'Asie du Sud-Est (4200 km), dont le bassin concentre plus de 60 millions de personnes.

Mélanésiens, mélanésiennes (n. et adj.): populations noires autochtones de la Mélanésie, une partie de l'Océanie qui couvre la Papouasie-Nouvelle-Guinée, la Nouvelle-Calédonie, le Vanuatu, les îles Fidji, etc.

Mendzan (n. pl.): instrument de musique africaine composé d'un support en bois ou en bambou, sur lequel sont disposées des lames de bois de tailles croissantes. En France, on l'appelle « balafon ». Chez les Bantous d'Afrique noire, le « mendzan » sert principalement dans l'animation des chorales chrétiennes.

Moringue (n. m.): danse de combat à l'île de la Réunion. Depuis plus de dix ans, le « moringue » est assimilé à un sport qui est reconnu par le ministère français de la Jeunesse et des Sports. Il compte plus d'un millier de licenciés.

Mossi (n. pl.): ethnie qu'on trouve au Burkina Faso.

Motifs (n. pl.): dessins réalisés sur un tissu pagne*.

Mouride (n. m.): adepte du mouridisme*.

Mouridisme (n. m.): confrérie* religieuse musulmane au Sénégal.

Musique zaïroise (n. f.): voir la « rumba zaïroise »*.

Mwami (n. m.): terme désignant le roi dans l'ancien royaume du Rwanda-Urundi, qui couvrait les actuels États du Rwanda et du Burundi.

N

Namba (n. m.): cache-sexe que portent les Vanuatuans lors de leurs cérémonies traditionnelles*.

Nam Ou (n. m.): affluent du Mékong* qui prend sa source dans le Nord du Laos.

Nam Tha (n. m.): affluent du fleuve Mékong* au Laos.

Nam Ngum (n. m.): affluent du fleuve Mékong* au Laos.

Nao (n. f.): indique la communauté qui reçoit, pendant la fête de la toka*, à Vanuatu.

Nana benz (n. pl.): femmes d'affaires spécialisées dans le commerce des pagnes au Togo.

Ndiaga Ndiaye (n. pl.): véhicule de transport ou car* interurbain au Sénégal.

Ndombolo (n. m.): danse et rythme musical créés en République démocratique du Congo et en République du Congo.

Négritude (n. f.): mouvement littéraire et philosophique ayant pour but de valoriser l'ensemble des caractères et des manières de penser propres à la race noire, fondé par Aimé Césaire et Léopold Sédar Senghor.

Nha Nhac (n. m.): musiques royales du Vietnam. Ne sont jouées que sur demande d'un membre important de la cour royale.

Noblesse (n. f.) **traditionnelle**: désigne les membres les plus importants de la cour royale dans la société traditionnelle.

Noix (n. f.) **de coco**: fruit issu du cocotier.

O

Oukoumbi (n. m.) : danse qui marque la fin du mariage comorien.

Oum Kalthoum (1900-1975) : grande star de la musique égyptienne et arabe du 20e siècle. Surnommée également « l'astre de l'orient ».

Outriya moina dahoni (n. m.) : étape du mariage comorien pendant laquelle on amène le marié rejoindre son épouse dans leur maison conjugale.

P

Pagne (n. m.) : morceau d'étoffe coloré dont se vêtent principalement les femmes africaines.

Pagode (n. f.) : temple religieux (généralement bouddhiste*), souvent de forme carrée, et surmonté de 2 à 5 toits superposés et de taille décroissante.

Paille (n. m.) : tiges de céréales (principalement de mil ou de riz en Afrique de l'Ouest) quand les graines ont été extraites.

Papadjab (n. m.) : personne habillée de rouge, avec six cornes sur la tête, qui défile pendant le Festival de la ville de Cayenne, en Guyane française.

Parasol (n. m.) : objet dépliant utilisé pour se protéger du soleil.

Pâte (n. m.) **d'arachide** : sorte de gâteau confectionné à partir de graines d'arachides écrasées.

Patois (n. m.) (ou dialecte) : forme de parler local le plus souvent utilisé par une communauté en zone rurale.

Paysans (n. pl.) : société* constituée de personnes qui défilent en costumes traditionnels lors du carnaval de la ville de Binche, en Belgique.

Petit baryam (n. m.) (ou « ayd al-fitr ») : fête marquant la fin du jeûne de ramadan chez les musulmans.

Petits Nambas : groupe ethnique qu'on trouve à Vanuatu.

Petit papa (n. m.) : désigne chez les Béti* le fils qui porte le même nom que son père. Il est considéré comme l'homonyme* de son père.

Peuls (n. pl.) : ethnie qu'on trouve principalement en Afrique de l'Ouest. Fait partie du groupe sociologique des Sahéliens*.

Piliers (n. pl.) **de l'Islam** : les cinq obligations auxquelles est tenu tout musulman.

Pilotis (n. pl.) : piliers sur lesquels on bâtit de nombreuses maisons dans les zones fluviales d'Asie du Sud-Est.

Pilou-pilou (n. m.) : fête organisée par la communauté mélanésienne de Nouvelle-Calédonie pour célébrer l'avènement de la saison des ignames.

Pinpeat (n. m.) : musique du Cambodge se jouant principalement dans les pagodes*.

Pierrots (n. pl.) : société* constituée de personnes qui défilent en costumes traditionnels lors du carnaval de la ville de Binche, en Belgique.

Placenta (n. m.) : masse de chair et de sang qui sert de lien entre la mère et le fœtus dans le ventre de la mère. Cette masse est évacuée avec l'accouchement et séparée de la mère par la coupure du cordon ombilical.

Planches (n. pl.) : désigne des tranches de bois scié servant principalement à construire des maisons.

Premier Gaou (n. m.) : titre d'un tube de musique « zouglou »* ayant eu un succès mondial entre 2001 et 2003. Un « gaou » est un personnage naïf qui se fait très facilement roulé.

Poêle à frire (n. f.) : technique de recherche d'or en Guyane française.

Poisson fumé : poisson séché à partir de fumée.

Pousse-pion (n. m.) : jeu pratiqué par les jeunes filles au Cameroun.

Princes d'Orient (n. pl.) : société* constituée de personnes qui défilent en costumes traditionnels lors du carnaval de la ville de Binche, en Belgique.

Produits hallucinogènes : qui déclenchent chez ceux qui les consomment des sensations de bonheur, des perceptions de faits qui n'existent pas, etc.

Provisions (n. pl.) : désigne ici les réserves d'aliments à consommer.

Pygmées (n. pl.) : groupe ethnique qu'on trouve dans la forêt d'Afrique centrale. Les Pygmées sont des gens de petite taille, vivant exclusivement de la pêche, de la chasse et de la cueillette.

R

Raï (n. m.) : danse et rythme musical créés en Algérie.

Raqs sharqi (n. m.) : danse pratiquée dans les pays arabes. Aussi appelée « danse du ventre ».

Rasta (n. pl.) : coiffure faite de cheveux durs et dressés.

Ravanne (n. f.) : tambour de 80 à 90 cm taillé dans le bois, d'une épaisseur d'environ 6 cm et recouvert d'une peau de chèvre tendue. La ravanne est utilisée pour jouer le « séga »*.

Religion anglicane : branche du protestantisme créée en Angleterre.

Religions évangéliques : branches du protestantisme dans lesquelles l'Évangile a une place très importante.

Répétitions en batteries : elles constituent la première étape dans la marche vers le carnaval de Binche. Elle a lieu deux dimanches de suite. Les membres des sociétés* se retrouvent aux alentours de 17 heures dans un café avec six tambours et une grosse caisse constituant la batterie. Ils chantent et dansent.

Rifains (n. pl.) : ethnie ou tribu berbère du Maroc.

Rite (n. m.) de l'eau : phase du « djoro »* se déroulant dans un cours d'eau chez les Lobi*.

Roneat (n. m.) : instrument de musique cambodgien constitué de deux xylophones à lames de bambou*. On l'appelle aussi « piano en bambou ».

Rumba (n. m.) zaïroise : danse et rythme musical créés en République démocratique du Congo et au Congo-Brazzaville.

S

Sahéliens (n. pl.) : groupe sociologique africain de type physique mince et élancé, qu'on trouve principalement en Afrique de l'Ouest.

Saka-saka (n. m.) (ou « pondu ») : plat culinaire congolais.

Sampho (n. pl.) : petits tambours utilisés pour jouer le « pinpeat »* au Cambodge.

Sanza (n. f.) : instrument de musique d'Afrique noire constitué d'une caisse de résonance en bois sur laquelle sont fixées des languettes de métal qu'on actionne avec les pouces des deux mains. On l'appelle aussi « piano à pouces ».

Sara (n. pl.) : ethnie qu'on trouve principalement au Sud du Tchad.

Sari (n. m.) : vêtement fait à partir d'une étoffe unique portée principalement par les populations d'origine indienne.

Se Don (n. m.) : affluent du fleuve Mékong* au Laos.

Séga (n. m.) : danse et rythme musical créés par des descendants d'esclaves en île Maurice et à la Réunion. Il a évolué en plusieurs variantes : le « *seggae* » influencé par le reggae jamaïcain et le « *seggaemuffin* » influencé par le « *raggamuffin* ».

Semoule (n. f.) : farine à base de blé.

Sérères (n. pl.) : ethnie qu'on trouve au Sénégal. Elle fait partie du groupe sociologique des Sahéliens.

Sérigne (n. m.) **de Touba** : grand chef religieux du mouridisme*, au Sénégal. Il est l'un des descendants du fondateur de cette confrérie, Amadou Bamba Mbacké.

Skor-thom (n. pl.) : gros tambours recouverts de peau de buffle, utilisés pour jouer le « pinpeat »* au Cambodge.

Slow (n. m.) : généralement de la musique douce, dansée par un couple enlacé.

Société : terme désignant les organisateurs du carnaval de Binche. En Afrique, une société secrète est une assemblée de dignitaires villageois.

Soul makossa : variante du « makossa »* faite d'un mélange de rythmes camerounais et de jazz.

Soukous (n. m.) : danse et rythme musical créés en République démocratique du Congo et au Congo-Brazzaville.

Soumonces en batterie : elles se déroulent pendant les deux semaines précédant le carnaval de Binche. Les sociétés de Gilles* partent vers 15 heures de leur local et battent le sol de Binche au son des batteries montrant leur puissance et leur dextérité à jouer.

Soumonces en musique : elles se déroulent pendant les deux dimanches précédant le carnaval de Binche, et constituent la dernière étape de préparation. Vers 15 heures, les sociétés* partent de cafés situés à l'extérieur du centre de la ville pour s'y rejoindre vers 20 heures. Les « Soumonces en musique » ont, en plus de la batterie, la musique.

Soupe (n. f.) **de coco** : soupe à base de noix de coco*.

Soupière (n. f.) : potage ou bouillon rendu épais par des aliments tels que du pain ou des pépins de fruit.

Sralay (n. m.) : instrument de musique à vent, qui ressemble à une flutte, utilisé au Cambodge.

Sunnites (n. pl.) : branche majoritaire de l'Islam issue d'une division de cette religion en 656. Ses principaux lieux saints se trouvent en Arabie Saoudite.

Swahili (n. M.) : langue véhiculaire* principalement parlée en Afrique de l'Est.

T

Tamazgha (n. m.) : vaste territoire d'Afrique du Nord qu'occupent les Berbères* ou « Imazighen »*.

Tamazigh (n. m.) : langue berbère*.

Tana : île de Vanuatu dans laquelle est concentré un grand nombre de populations mélanésiennes*.

Tapa (n. m.) : étoffe à partir d'un arbre avec laquelle se vêtissent certains Tahitiens.

Taxi-compteur (n. m.) : taxi dont un compteur fixe le kilométrage et la somme à payer par les usagers.

Tchen-la (n. m.) : nom de l'ancien royaume du Cambodge.

Tên (n. m.) : désigne la troisième particule des noms vietnamiens.

Tên dên (n. m.) : désigne la deuxième particule des noms vietnamiens.

Theravada (n. m.) : forme de Bouddhisme pratiqué principalement en Inde, pour lequel seuls les moines peuvent devenir des « illuminés ». On l'appelle également « petit véhicule ».

Thiof (n. f.) : poisson d'eau douce qu'on trouve principalement dans les fleuves du Sénégal.

Tiep (n. m.) (ou « tiep bou dien ») : plat culinaire sénégalais.

Toaka gasy (n. m.) : boisson alcoolisée de Madagascar, ressemblant à du rhum.

Toka (n. m.) : fête organisée occasionnellement par la communauté mélanésienne au Vanuatu.

Tôle (n. f.) : feuilles en métal servant à recouvrir le toit des maisons.

Ton (n. m.) : hauteur de la voix. Le ton peut être élevé, aigu, bas, grave, etc.

Touaregs (n. pl.) : ethnie ou tribu appartenant au groupe des Berbères. On les trouve principalement en Algérie, au Niger et au Mali.

Tradition (n. f.) : ensemble de pratiques anciennes (spirituelles et magiques) perpétuées par un peuple.

Trapu : désigne quelqu'un de petite taille.

Trois normaux (n. pl.) : thé consommé principalement par les populations d'Afrique de l'Ouest. Il se boit en trois phases successives, d'où le nom de « trois normaux ».

Trombone (n. m.) : instrument de musique de la famille des cuivres, qui ressemble beaucoup à la trompette.

Trône (n. m.) : siège élevé sur lequel s'assoit une personne qu'on veut distinguer des autres, le plus souvent un chef ou un roi.

Trouilles de Nouilles : on l'appelle aussi la « nuit des Trouilles de Nouilles ». Elle se déroule le lundi précédant les Jours Gras*. Les rues du centre de Binche en Belgique sont envahies par des masques, des groupes de personnages étranges, méconnaissables sous leur costume, le visage caché tantôt par une face de grand-mère, tantôt par une tête de singe ou tout simplement par le drap blanc d'un fantôme.

Tutsi (n. pl.) : groupe physique ou ethnie qu'on trouve au Rwanda et au Burundi.

V

Valse (n. f.) : danse tournante, le plus souvent pratiquée en Europe et en Amérique du Nord.

Varibemenaka (n. m.) : plat culinaire de Madagascar fait de riz et de viande de bœuf.

Violon (n. m.) : instrument de musique à quatre cordes accordées en quintes, que l'on frotte avec un archet, et qui se tient entre l'épaule et le menton.

Vodoun ou vaudou (n. m.) : religion animiste fondée au Bénin et amenée par les anciens esclaves africains en Amérique.

W

Wallons (n. m.) : désigne, avec les Bruxellois*, une partie des francophones de Belgique.

Wolof (n. pl.) : ethnie qu'on trouve au Sénégal. Fait partie du groupe sociologique sahélien*.

Woro-woro (n. m.) : taxi clandestin ou pratiquant des prix très peu chers en Côte d'Ivoire.

Y

Youssou N'dour : musicien sénégalais né en 1959 à Dakar. Est surtout connu pour avoir popularisé sur le plan mondial le rythme musical appelé « mbalax »*.

Z

Zaïre (n. m.) : nom donné naguère à un État d'Afrique centrale, ainsi qu'à sa monnaie, lors de la zaïrianisation*. Cet État s'appelle aujourd'hui République démocratique du Congo.

Zaïrianisation (n. f.) : désigne un processus de retour aux valeurs du Zaïre (changement des noms, étatisation de l'économie, etc.) initié dans les années 1970 par le président Mobutu Sese Seko.

Zanadrazana (n. m.) : séquence du « famadihana »* pendant laquelle les membres d'une famille déterrent leurs morts avant de les enterrer de nouveau.

Zémidjan (n. m.) : moto faisant du transport urbain au Bénin.

Zombis (n. pl.) : personnes habillées de chemises de nuit blanches et de ceintures rouges qui défilent lors du Festival de la ville de Cayenne, en Guyane française. En général, le mot « zombi » désigne un sorcier, ou une personne ayant des pouvoirs maléfiques.

Zone franche : partie d'un territoire sur laquelle sont installées des entreprises payant très peu d'impôts et taxes.

Zouglou (n. m.) : danse et rythme musical créés par des jeunes en Côte d'Ivoire.

Zouk (n. m.) : danse et rythme musical créés aux Antilles.

Zouk love : variante du rythme musical antillais « zouk »*, proche des slows*.

Zouk machine : groupe de musique antillais jouant du « zouk »*.

Crédits photographiques

p. 8 ht/g
Ph. © Patrick Ward/Corbis, reprise p.78

p. 8 ht/d
Ph. © HPP/Gamma/Lena Annette, reprise p. 24

p. 8 m/g
Ph. © Photocanada. com, reprise p. 44

p. 8 m/d
Ph. © Vincent Gautier/EPA/SIPA, reprise p. 58

p. 8 b/g
Ph. © Maurice Joseph/Getty Images, reprise p. 72

p. 8 b/d
Ph. © Harlingue/Roger-Viollet, reprise p. 66

p. 9 ht/g
Ph. © Harry Gruyaert/Magnum Photos, reprise p. 46

p. 9 ht/d
Ph. © HPP/Gamma/Xavier Rossi, reprise p. 50

p. 9 m/g
Ph. © Fausto Giaccone/Anzenberger/ASK Images, reprise p. 68

p. 9 m/d
Ph. © François Perri/REA, reprise p. 86

p. 9 m/m
Ph. © Gideon Mendel/Corbis, reprise p. 42

p. 9 b/g
Ph. © Emilio Suetone/Hémisphère Images/AFP, reprise p. 26

p. 9 b/d
Ph. © Seyllou/AFP, reprise p. 128

p. 10 b
Ph. © Éditions du Seuil – Archives Larbor

p. 12
Ph. © C. Boisseaux/La Vie/REA

p. 14
Ph. © Christian Dumont/REA

p. 16
Ph. © Jackson Noutchié Njiké

p. 18
Ph. © Jackson Noutchié Njiké

p. 20
Ph. © Seyllou/AFP

p. 22
Ph. © Pierre Perrin/Corbis Sygma

p. 28
Ph. © Leki Dago Ananias/Panapress/MAX PPP

p. 30
Ph. © Bettmann/Corbis

p. 32
Ph. © Jim Goodman/Onasia

p. 34
Ph. © Jackson Noutchié Njiké

p. 36
Ph. © Nic Bothma/EPA/SIPA

p. 38
Ph. © CAT/MAX PPP

p. 40
Ph. © HPP/Rapho/Emile Luider

p. 48
Ph. © Ben Davies/Onasia

p. 52
Ph. © HPP/HOA-QUI/Paul Duval

p. 54
Ph. © Fausto Giaccone/ Anzenberger/ASK Images

p. 56
Ph. © François Perri/REA

p. 60
Ph. © HPP/HOA-QUI/H. Fouque

p. 62
Ph. © HPP/Gamma/Gilles Bassignac

p. 64
Ph. © HPP/Gamma/Gilles Bassignac

p. 70
Ph. © François Perri/REA

p. 74
Ph. © Collection Roger-Viollet

p. 76
Ph. © Pascal Maitre/Cosmos

p. 80
Ph. © Pascal Maitre/Cosmos

p. 82
Ph. © Harry Gruyaert/Magnum Photos

p. 84
Ph. © Ali Haider/EPA/SIPA

p. 88
Ph. © Jackson Noutchié Njiké

p. 90
Ph. © Daniel Lainé/Corbis

p. 92
Ph. © Jackson Noutchié Njiké

p. 94
Ph. © J.C. Valette/Sucré Salé

p. 96
Ph. © HPP/Jean-Daniel Sudres/Agence TOP

p. 98
Ph. © HPP/HOA-QUI/Emmanuel Valentin

p. 100
Ph. © Stéphan Gladieu/L'Express/Editingserver.com

Achevé d'imprimer en mars 2020 par Sepec numérique - 01960 Peronnas
N° d'imprimeur : N19857190964 - N° éditeur : 10263784 - Dépôt légal : Juin 2019
Imprimé en France